Schweiz
Suisse
Svizzera
Switzerland
Suiza
スイス

Photoglob AG, Zürich/Vevey

Schweiz **Suisse** **Svizzera** **Switzerland** **Suiza** スイス

Dieses vielfältige, kleine Land ist in manchem gross. Im harmonischen Beisammensein verschiedener Kulturen und Sprachen beispielsweise, in des Bürgers unbändigem Freiheitswillen auch, gestählt im Wellenschlag der Geschichte. Dieses kleine Land ist arm an Bodenschätzen, aber reich an Naturschönheiten. Geist und Fleiss haben der Schweiz Wohlstand gebracht. Ihre wissenschaftlichen Leistungen und die Qualitätserzeugnisse ihrer Industrie geniessen Weltruf. Die Freundlichkeit des Mittellandes und der Charme des Juras, die Lieblichkeit des Genfersees wie auch die Tessiner Sonnenstube beeindrucken nicht minder als die Erhabenheit der schneebedeckten Alpen. Hineingestreut in diese abwechslungsreiche Landschaft sind markante Städte. In Tälern, auf Hügeln, an Flüssen und Seegestaden siedeln schmucke Dörfer, und auf Felsspornen erheben sich trutzige Burgen als Zeugen einer bewegten Vergangenheit.
41 000 Quadratkilometer klein ist dieses Land, einmalig in seiner landschaftlichen Vielfalt und Schönheit.

Ce pays, aussi petit que diversifié, fait preuve de grandeur à plus d'un égard. Par la cohabitation harmonieuse et exemplaire de différentes cultures et langues, par l'inébranlable volonté de rester libre qu'ont toujours manifestée ses citoyens, lors des bouleversements de l'Histoire. Le sous-sol de ce petit pays est pauvre. A force de courage et d'ingéniosité, la Suisse a cependant accédé à la prospérité. La valeur de ses chercheurs et techniciens, ainsi que la qualité des produits de son industrie bénéficient d'une renommée mondiale. Par contre, ce petit pays est riche en beautés naturelles. Les collines du Plateau, les vallonnements du Jura, les rives du Léman et ce «don du soleil» qu'est le Tessin ont tout autant de charme et d'attraits que les sommets des Alpes et leurs neiges éternelles. Disséminées dans ce paysage changeant, on découvre des villes célèbres. De charmants villages peuplent les vallées, les collines, le bord des rivières ou des lacs. Çà et là, des châteaux et des citadelles s'élèvent encore fièrement sur des éperons rocheux, témoins d'un passé révolu.
Ce petit pays de quelque 41 000 kilomètres carrés est unique par la diversité et la beauté de ses paysages.

Questo piccolo e poliedrico Paese per molte cose è grande. In armonica convivenza di diverse culture e lingue, durante gli alti e bassi della storia si è temperato in modo esemplare. Ed anche nell'indomabile volontà di libertà del cittadino. Questo piccolo Paese non possiede materie prime, ma l'ingegno e la diligenza l'hanno portato al benessere. Le sue conquiste scientifiche ed i prodotti di qualità della sua industria godono fama mondiale. Il paesaggio di questo Stato è ricco di bellezze naturali. La gentilezza della Svizzera centrale, la grazia del Jura, il fascino del lago Lemano ed anche il giardino assolato del Ticino non impressionano meno dell'imponenza delle Alpi ammantate di neve. Sparse in questo vario paesaggio si trovano delle città caratteristiche. In valli, su colli, presso fiumi e sulle rive di laghi si trovano graziosi paesetti e su sbalzi di roccia si innalzano superbi castelli, simboli di un movimentato passato.
Questo piccolo Paese limitato dai suoi soli 41 000 chilometri quadrati è unico per la varietà del suo paesaggio e per la sua bellezza.

This small, multi-faceted country has many aspects of greatness. The harmonious amalgamation of various cultures and languages, the Swiss' undaunted commitment to freedom, tempered in the turmoils of history, are just two typical examples. This small country is poor in terms of natural resources, but open-mindedness and spirited perseverence have made Switzerland wealthy nevertheless. Its scientific achievements and the sophisticated products of its industry have gained a worldwide reputation. In contrast, natural beauty has always been one of the major assets of this small country. The lively appeal of the lowlands and the charm of the Jura Range, the enchantment of the Lake of Geneva and the sun-drenched paradise of the Tessin are by no means less impressive than the majestic snow-laden Alps. Cities with personalities of their own lie scattered in this ever-changing landscape. Illustrious villages root in valleys, on hillsides, at streams and lakeshores — stout, intrepid castles can be found on rocky precipices, witnesses of an adventurous past.
This country covers a mere 16,000 square miles, but it is unique in its special blend of natural beauty and excitement.

Este pequeño país con una gran multiplicidad de formas es grande en cierto modo. Ejemplar en la convivencia armónica de distintas culturas e idiomas, igualmente en el indomable deseo de libertad del ciudadano, fortificado en los embates de la historia. Este pequeño país es pobre en riquezas del subsuelo. Sin embargo, el ingenio y la aplicación constante han aportado a Suiza la prosperidad. Sus trabajos científicos y los productos de calidad de su industria gozan de una fama mundial. Una riqueza propia de este pequeño país son las bellezas de la naturaleza. La amabilidad de la región central y el encanto del Jura, la dulzura del lago de Ginebra, así como el soleado Tesino impresionan tanto como la majestad de los Alpes cubiertos de nieve. Diseminadas en este paisaje lleno de variaciones se encuentran unas ciudades interesantes. En los valles, sobre las colinas, a la orilla de los ríos o de los lagos, se encuentran unos bonitos pueblos, y en los espolones de las rocas se elevan unas ceñudas fortalezas que atestiguan un pasado turbulento.
Con solamente 41.000 kilómetros cuadrados, este país es único en su género por la belleza y diversidad de sus paisajes.

小国ながら多様性を秘めた国スイスは、多くの優れた面を持っています。さまざまな文化といくつもの言語が奏でる美しいハーモニー、そして困難な歴史の歩みの中で常に自由を守り抜いてきたスイス国民の不屈の信念。これらはスイスの果敢な一面を端的に物語るものといえましょう。天然資源に恵まれない小国スイスは、絶えざる努力と忍耐によって、今日の繁栄を築き上げました。科学・技術の分野においてスイスが成し遂げためざましい業績は、スイス産業が生み出す各種製品の優れた品質と並んで、世界中で高く評価されています。

資源にこそ恵まれないものの、スイスには世界に誇るすばらしい宝「美しい自然」があります。万年雪を頂いた壮大なアルプス連峰はもちろん、のどかな広がりをみせる中央低地、ジュラ山系の丘陵地帯、そして風光明媚なレマン湖周辺、陽光あふれるティチーノ地方と、スイス各地はそれぞれに捨てがたい魅力を持っています。そうした変化に富んだ風土を背景に、山あいに、丘陵に、あるいは川や湖のほとりに、独自の魅力と味わいに包まれた絵のような町や村が宝石のようにちりばめられた国、スイス。険しい崖の上に今もそびえるあちこちの城砦は、この国の勇壮な過去を物語っています。

面積わずか41,000km²足らずの小国スイス。その狭い国土を色鮮やかに彩る変化に富んだ自然の美しさは、スイスならではのものといえましょう。

Übersichtskarte der Schweiz, Massstab 1:1 150 000

Carte de la Suisse, échelle 1:1 150 000

Cartina panoramica della Svizzera, scala 1:1 150 000

Survey map of Switzerland, scale 1:1,150,000

Mapa sinóptico de Suiza, escala 1:1.150.000

スイス
1：1,150,000

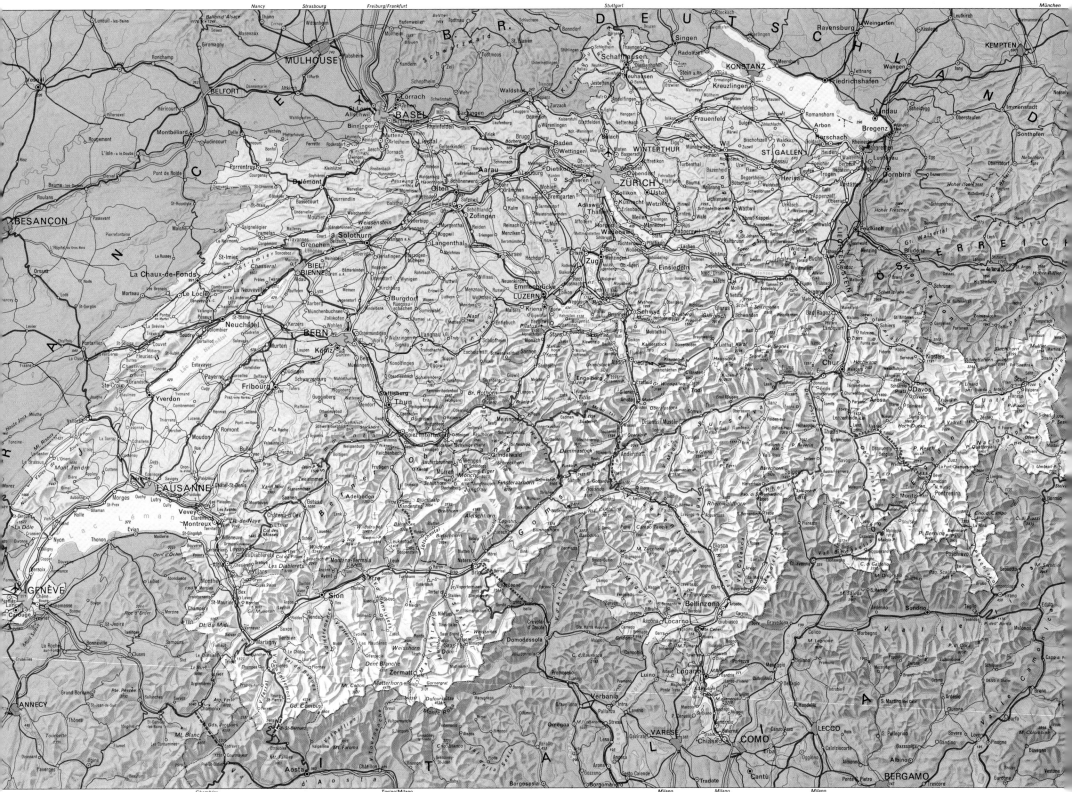

Schönes altes Bern

Bern, gegründet 1191, ist die Hauptstadt der Schweiz. Die Aareschleife umschliesst die Altstadt, aus der das Münster hoch zum Himmel ragt. Arkaden, Lauben genannt, prägen das Bild der Häuserzeilen; hier kann man auch bei Regenwetter ohne Schirm flanieren und in den schmucken Geschäften einkaufen.
Kunstvolle Brunnenfiguren sowie zahlreiche barocke Zunft- und Patrizierhäuser zieren die Strassen der Altstadt, deren wichtigste Verbindung vom modernen Bahnhof über die Spitalgasse zum Käfigturm, durch die Marktgasse zum vielbestaunten Zeitglockenturm und weiter die Kramgasse entlang zum Bärengraben führt. Hier ergötzen die drolligen Wappentiere Berns mit ihren Jungen unzählige Besucher. Im Bundeshaus, dem Amtssitz der Landesregierung, tagen National- und Ständerat, die gesetzgebenden Behörden der Schweiz. Bern beherbergt die Nationalbank und verschiedene internationale Organisationen; hier befinden sich auch die Residenzen der ausländischen Diplomaten. Die farbenprächtigen Märkte zeigen die rege Verbundenheit der Stadtberner mit der umliegenden Landschaft. In Bern reichen sich Altes und Neues, Patrizisches und Modernes die Hand.

Berne – le charme du passé

Fondée en 1191, Berne est la capitale de la Suisse. Une boucle de l'Aare entoure la vieille-ville, d'où émerge la cathédrale qui pointe fièrement vers le ciel. Les arcades des vénérables maisons sont un des attraits de Berne: même lorsqu'il pleut, on peut y flâner sans s'encombrer d'un parapluie et effectuer ses achats dans d'adorables boutiques.
Des fontaines artistiquement décorées et fleuries, ainsi que de nombreuses maisons corporatives ou patriciennes, de style baroque, ornent les rues de la vieille-ville. L'un des principaux itinéraires empruntés par les touristes part de la nouvelle gare, suit la Spitalgasse jusqu'à la Käfigturm (ancienne tour de la prison), puis la Marktgasse, avec sa célèbre tour-horloge et enfin la Kramgasse jusqu'à la fosse aux ours. Ces animaux – qui figurent sur les armoiries de la ville – et leurs rejetons amusent les très nombreux visiteurs par leurs facéties.
Le Palais Fédéral, siège du gouvernement du pays, abrite le Conseil National et le Conseil des Etats, les deux assemblées législatives de la Suisse. Berne est le siège de la Banque Nationale et de différentes organisations internationales; on y trouve aussi les résidences des diplomates étrangers. Les marchés hauts en couleurs sont le témoignage des liens étroits qui unissent le bourgeois de la ville à la campagne environnante. Berne a réussi la gageure d'une synthèse harmonieuse entre l'Ancien et le Nouveau, les témoins de l'ère patricienne et les réalisations modernes.

La bella, vecchia Berna

Berna, fondata nel 1191, è la capitale della Svizzera. Una sinuosa ansa dell'Aare cinge la vecchia città dalla quale si staglia alta verso il cielo la torre della Cattedrale. Gli archi dei portici, detti «Lauben», mettono in risalto le diritte file degli edifici: anche con tempo piovoso qui si può passeggiare e fare acquisti nei bellissimi negozi.
Le artistiche statue delle fontane, i numerosi edifici delle corporazioni e le case patrizie adornano le vie della vecchia città la cui arteria più importante è costituita dal tragitto che dalla stazione ferroviaria, lungo la Spitalgasse, porta alla torre delle prigioni (Käfigturm) e da questa, lungo la Marktgasse, l'ammirata torre dell'orologio e la Kramgasse, conduce alla fossa degli orsi (Bärengraben). Qui i faceti animali ed i loro piccoli dilettano gli sguardi degli innumerevoli visitatori.
Al Palazzo Federale, sede ufficiale del Governo Centrale, risiedono il Consiglio degli Stati ed il Consiglio Nazionale, le Autorità Legislative della Svizzera. Berna ospita la Banca Nazionale e diverse organizzazioni internazionali. Qui risiedono anche le delegazioni diplomatiche straniere. I variopinti mercati evidenziano i veri vincoli di solidarietà della città di Berna con le circostanti campagne. In Berna, vecchio e nuovo, patrizio e moderno convivono in vera armonia.

Venerable Berne

The history of Berne, the nation's capital, dates back to 1191. A loop of the Aare embraces the ancient center where the spire of the minster extends into the sky. Long arcades are characteristic of the street scene – even in the event of rainfall, pedestrians can roam and stroll without umbrellas, succumb to the lure of shops and cafés neatly tucked away from the weather.
Stalwart fountains with artistically sculptured statues and numerous baroque guild houses and patrician mansions grace the streets of Berne's historic core. Two of the city's trademarks are the "Zeitglockenturm" with animated figurines to announce the hour and the "Bärengraben", where hefty brown bears – the capital's heraldic beast rampant – and their young have delighted many a visitor with their mischievous pranks.
The Bundeshaus is the headquarters of the Swiss government. Both legislative authorities – the National Council and the State Council – convene there. Berne is also the home of the National Bank and of various international organizations. A number of foreign diplomats reside here. Colorful markets illustrate municipal Berne's close ties to the surrounding countryside. Old and new, the patrician age and the modern aera are delicately intertwined.

Bella y antigua Berna

Berna, fundada en el año 1191, es la capital de Suiza. Una gran curva que hace el Aar rodea el casco viejo de la ciudad, en el cual se eleva hacia el cielo la catedral. Unas arcadas, llamadas «Lauben», prestan un carácter especial y atractivo a las hileras de casas; aquí se puede pasear sin paraguas hasta en los días de lluvia y hacer compras en las elegantes tiendas.
Unas figuras artísticas que coronan las fuentes y numerosas casas de patricios y de artesanos adornan las calles del casco antiguo de la ciudad, cuya conexión más importante conduce de la moderna estación de ferrocarril, pasando por la Spitalgasse, a la torre-cárcel y a través de la Marktgasse a la tan admirada «Zeitglockenturm» y desde aquí al foso de los osos, a través de la Kramgasse. Son innumerables los visitantes que se divierten aquí observando los graciosos animales heráldicos de Berna con sus jóvenes.
En la casa del Parlamento, sede del gobierno de los estados, se reúnen el Consejo Nacional y el Consejo de los Estados, que son las autoridades legislativas de Suiza. Berna es la sede del Banco Nacional y de diversas organizaciones internacionales; aquí se encuentran también las residencias de los diplomáticos extranjeros. Los pintorescos mercados muestran la intensa compenetración del ciudadado de Berna con el paisaje de los alrededores. En Berna se dan la mano lo viejo y lo nuevo, lo patricio y lo moderno.

ベルン――中世のモニュメント

スイス連邦の首都ベルン。その歴史は遠く1191年にさかのぼります。U字形にわん曲したアーレ川に抱かれて、中世を思わせるしっとりとしたたたずまいをみせるベルン。大寺院の尖塔がそのオールド・タウンの空高くそびえ、ベルンの街を見下ろしています。石畳の道の両側には、ベルン名物のアーケードが美しく続き、雨が降っても傘をささずにそぞろ歩きやショッピングを楽しむことができます。
街角や広場を飾る彫刻が施された噴水、そしてバロック様式のギルドハウスや貴族の館もベルンの古い街並に美しい彩りを添えています。牢獄塔や、機械仕掛けの人形が時を告げる有名な時計塔に迎えられるベルンのメインストリート。駅前広場から、シュピタル通り、マルクト通り、クラム通りと、熊公園まで続くこの通りがこの都市のオーの観光ポイント。愛嬌たっぷりのしぐさで観光客の笑いを誘う熊公園の主人公たちは、ベルンの紋章にもなっています。
スイスの立法を司る上下両院を擁する連邦議事堂があるのもここベルン。ベルンは、また、スイス中央銀行のほか、多くの国際機関、外国公館があることでも知られています。一方、色鮮やかに彩られる市場は、この一国の首都が周辺の村々とも密接な絆で結ばれていることを何よりも雄弁に語っています。
現代に生きる中世のモニュメント――この都市では、古いものと新しいものがみごとな調和をみせています。

Weltstadt Zürich

Zurich – métropole ouverte sur le Monde

La metropoli Zurigo

Metropolitan Zurich

La metrópoli de Zurich

スイス第一の都会、チューリッヒ

Zürich ist die grösste Stadt des Landes und zugleich dessen Handelszentrum.
Von der Stelle aus, wo der Zürichsee sich zum Limmatfluss verengt, bietet sich ein überwältigender Blick in die Alpen und, zur Stadt gewendet, auf die stolzen Türme des Grossmünsters, des Fraumünsters und des St. Peters.
Weltberühmt ist die Bahnhofstrasse durch ihre vielen Bankhäuser und als renommiertes Einkaufsparadies.
Zürich beherbergt die hochangesehene Eidgenössische Technische Hochschule, die grösste Universität des Landes, Handelshäuser und Industrien und verfügt im naheliegenden Kloten über einen der leistungsfähigsten Flughäfen Europas.
Die Stadt bietet allen Besuchern viel, den Kaufleuten und Managern aus aller Welt, den Freunden der Kultur und der leichten Muse, der Architektur und der Natur.
Hier gibt es keine Luxuspaläste, aber auch keine Elendsviertel. Im Altstadtbeizlein isst man fürstlich, und im Nobelhotel, wo es vorkommen kann, dass Samstag abends die Heilsarmee singt, ist die einfache Kartoffelspezialität «Rösti» ein Leckerbissen.
Zur grossen Tradition gehört das Frühlingsfest der Sechseläutens. Im farbenfrohen Zug der Zünfte wird die reiche Vergangenheit Zürichs in schönster Weise lebendig.

Zurich est la plus grande ville du pays, en même temps que son centre financier et commercial.
De l'endroit où le lac de Zurich se rétrécit pour former la Limmat, on bénéficie d'un panorama exceptionnel sur les Alpes; si l'on se tourne vers la ville, on remarque immédiatement les clochers fièrement dressés de la cathédrale, du Fraumünster et de l'église St-Pierre.
La Bahnhofstrasse, avec ses banques et ses magasins prestigieux, est célèbre dans le monde entier.
Zurich abrite l'Ecole Polytechnique Fédérale, dont la renommée n'est plus à faire, la plus importante université du pays, des entreprises industrielles et commerciales. Grâce à Kloten, un des aéroports les plus fréquentés d'Europe, la ville dispose de liaisons rapides avec l'ensemble du monde.
Zurich est une ville qui sait accueillir ses hôtes – qu'ils soient hommes d'affaires cosmopolites ou amateurs de culture, de divertissements de tous ordres, d'architecture ou de beautés naturelles.
S'il n'existe pas de palais luxueux, on n'y trouve pas non plus de quartiers misérables. Dans les petits restaurants de la vieille-ville, on sert des menus princiers, tandis que dans les palaces – où résonnent le samedi soir les chants de l'Armée du Salut – les «röstis» (un plat pourtant très simple, aux pommes de terre) comblent les plus fins gourmets.
La fête de printemps, le «Sechseläuten», est une tradition chère aux Zurichois: ce jour-là, les corporations défilent dans la ville, formant un cortège haut en couleurs qui fait revivre avec faste le riche passé de Zurich.

Zurigo è la maggiore città del paese e nello stesso tempo il centro economico della Confederazione.
Dal punto in cui il lago di Zurigo si restringe nella Limmat, si viene soggiogati dallo sguardo che spazia sulle Alpi e sulla città, dalle superbe torri della Cattedrale di Grossmünster, del Fraumünster e del St. Peter.
Di fama mondiale, la Bahnhofstrasse, la maggior arteria di Zurigo con i suoi edifici bancari ed il suo conosciutissimo paradiso di negozi.
Zurigo ospita il rinomato Politecnico Federale, il maggior istituto superiore della Confederazione, case commerciali ed industrie e, nella vicina Kloten, dispone di uno dei più efficienti aeroporti europei.

La città offre molto ai suoi visitatori, ai commercianti ed ai manager di tutto il mondo, dal piacere della cultura e delle leggere muse, dall'architettura alla natura.
Qui non esistono lussuosi palazzi, ma neanche quartieri poveri. Nei ristorantini della vecchia città si gustano pasti principeschi e negli Hotel nobili, dove al sabato sera canta l'Esercito della Salvezza, la semplice specialità di patate «Rösti» costituisce una leccornia.
Alle grandi tradizioni appartiene la festa della primavera, il «Sechseläuten». Rivestito dei bellissimi colori delle corporazioni, il ricco passato di Zurigo viene richiamato in vita in un fantastico scenario.

Zurich is the largest city and simultaneously the commercial turnstile of the country.
An awe-inspiring view of the Alps unfolds before the beholder at the point where the Lake of Zurich merges into the Limmat River. Facing the city, the eye meets proud towers of the Grossmünster, of the Fraumünster, and of St. Peter's church.
The world-famous Bahnhofstrasse is a thrilling shopper's paradise and a prestigious address for countless banks.
The Swiss Federal Institute of Technology, the country's largest university, is perched on a vantage point overlooking the city. Commercial institutions and industrial corporations often rely on nearby Kloten airport, one of Europe's busiest and most efficient air traffic centers.
Zurich has much to offer its visitors – businessmen and managers from all over the world, culture and entertainment buffs, lovers of architecture and natural beauty.
There are no luxurious palaces here, but no slums, either. Guests dine regally in any of the enticing insiders' restaurants downtown, yet "Rösti", the unpretentious potato specialty, can be a sumptuous affair at Zurich's lavish hotels.
The traditional springtime festivities of "Sechseläuten" commemorate winter's end. The parade of the guilds gives a resplendent review of Zurich's eventful past.

Zurich es la mayor ciudad del país y al mismo tiempo su centro comercial.
Desde el punto en el que el lago de Zurich se estrecha hacia el río Limmat se ofrece una vista sensacional a los Alpes y, si se mira hacia la ciudad, a las orgullosas torres de Grossmünster, de Fraumünster y de St. Peter.
La calle de la estación (Bahnhofstrasse) ha adquirido una fama mundial – por los muchos bancos que se encuentran en ella – y también como un paraíso de compras de gran reputación.
Zurich alberga la prestigiosa Eidgenössische Technische Hochschule (Escuela técnica superior federal), la mayor universidad del país, casas comerciales e industrias y cuenta en la vecina ciudad de Kloten con uno de los aeropuertos europeos de mayor capacidad.
La ciudad ofrece mucho a todos sus visitantes, a los comerciantes y a los gerentes de todo el mundo, a los amigos de la cultura y de la musa ligera, de la arquitectura y de la naturaleza.
Aquí no existe ningún palacio de lujo pero no tampoco barrios pobres. En las tabernas del casco viejo de la ciudad se come regiamente y en el hotel elegante, en el que canta por la noche el Ejército de la Salvación, la especialidad «Rösti» a base de patatas es un bocado exquisito.
Algo muy tradicional es la fiesta de la primavera del «Sechseläuten». En un desfile con profusión de colores de las corporaciones de artesanos se reaviva el pasado de Zurich con una belleza sin igual.

スイス最大の都市であると同時に、商業の最重要拠点でもあるチューリッヒ。
チューリッヒ湖から流れ出るリマット川の河畔にたたずめば、アルプスの雄姿がひときわ美しく空に映え、ひとたび市街に眼を転ずれば、グロスミュンスター、フラウミュンスター、そしてザンクト・ペーター寺院の鐘楼がその誇らしげな姿をみせています。
一流の銀行や商店が軒を連ねるバーンホーフ通りは、世界に知られたショッピング・パラダイスです。
この町には、スイス最大の大学であるスイス連邦工科大学があるほか、世界各地とチューリッヒを結ぶヨーロッパ有数の空港クローテン空港周辺に、多くの企業が集中しています。
ビジネスマンはもちろん、文化、建築、自然を愛するすべての人にとって、さまざまな魅力を秘めたチューリッヒ。
この町には、華やかなぜいたくさはないかもしれません。しかしまた、スラムといったものもここにはありません。オールドタウンの小さなレストランで一流の料理が供される上同時に、豪華な一流ホテルで素朴な「レスティ」（ベークド・ポテト）料理が立派に一品となる都市、それがチューリッヒです。
冬の終りを告げる「セクセロイテン」はこの町の伝統的な春の祭り。チューリッヒの華やかな歴史絵巻をギルドのパレードが鮮やかにくり広げます。

Zürich, Innenstadt mit Limmat und Grossmünster

Zurich, centre de ville avec la Limmat et la cathédrale

Zurigo, città interna con Limmat e Grossmünster

Zurich's old town with Limmat and Grossmünster

Zurich, parte interior de la ciudad con el río Limmat y Grossmünster

町の中心を流れるリマット川とグロスミュンスターの尖塔（チューリッヒ）

Messestadt Basel   Bâle – ville de foires   Basilea, città delle Fiere   Enterprising Basle   Basilea, ciudad de ferias   商工業都市、バーゼル

Am Rheinknie, wo die Grenzen Deutschlands, Frankreichs und der Schweiz sich treffen, liegt Basel, weltverbunden durch den humanitären Geist, durch die Wissenschaft, durch den Rheinhafen. Historische Sehenswürdigkeiten schmücken die Stadt, wie das Münster, das Rathaus, das Spalentor, die Pfalz über dem Rhein. An die zwei Dutzend Museen laden den Kulturbeflissenen ein. Der Zoologische Garten ist so bekannt, wie die Universität alt ist. Viel Chemie ist in Basel, und mindestens soviel fasnächtlicher Witz. Der Morgenstraich gehört zu den allerbesten Fasnachtsbräuchen.

Nicht zuletzt ist Basel auch als Handels- und Messestadt bekannt. Die alljährlich im Frühjahr stattfindende Schweizer Mustermesse – eine imposante Schau der leistungsfähigen Wirtschaft des Landes – ist viel besucht; aber auch die zahlreichen anderen Fach- und Handelsmessen stossen auf reges Interesse.

Bâle est établie sur un coude du Rhin, à la jonction des frontières allemande, française et suisse. La ville a toujours été ouverte sur le monde – par son esprit humaniste, ses grands savants et le port fluvial sur le Rhin. Nombreux sont les monuments et curiosités historiques, comme la cathédrale, l'hôtel de ville, la porte Spalen, la colline de la vieille-ville, qui domine le Rhin. Deux douzaines de musées attendent la visite des passionnés de culture. Quant au Zoo, il est aussi célèbre que l'Université est ancienne. Bâle est un des hauts-lieux de la chimie – ce qui n'empêche pas ses habitants de fêter passionnément le Carneval, dont le «coup d'envoi» est donné chaque année par le célèbre «Morgenstraich», un défilé qui débute à 4 heures du matin!

Bâle est aussi renommée comme métropole commerciale et ville de foires et d'expositions. Chaque année, au printemps, elle accueille la Foire Suisse d'Echantillons, une imposante exposition où l'économie suisse présente ses réalisations, qui attire beaucoup de visiteurs. De très nombreux autres salons spécialisés et expositions commerciales retiennent l'intérêt des professionnels aussi bien que du grand public.

Dove il Reno volge al nord, dove si incontrano i confini della Germania, della Francia e della Svizzera, giace Basilea. Famosa nel mondo per il suo spirito umanitario, per la sua scienza, per il porto sul Reno. Storiche bellezze artistiche adornano la città, tra queste la Cattedrale, il Municipio, la Porta dell'antica cerchia muraria «Spalentor», la terrazza che si affaccia sul Reno «Pfalz über dem Rhein». Le due dozzine di musei invitano allo studio. Il Giardino Zoologico è così famoso quanto è antica l'Università. Basilea ospita come minimo tanta chimica, quante sono le feste carnevalesche. Il «Morgenstraich» appartiene alle più riuscite manifestazioni carnevalesche.

Non per ultimo, Basilea, è conosciuta come città commerciale e città delle Fiere. La Fiera Campionaria Svizzera che si svolge tutti gli anni in primavera – una importante rassegna dell'efficiente economia del paese – è molto frequentata; anche le altre numerose Fiere e Mostre specifiche incontrano il favore e l'interesse dei visitatori.

Basle is located at the bend of the Rhine where Germany, France, and Switzerland share borders. It has international flavor promoted by a humanitarian spirit, by sciences, by the Rhine port. The history-minded sightseer is overwhelmed with magnificent examples of human workmanship such as the Münster, the Rathaus, the Spalentor, the Pfalz across the Rhine. Some two dozen museums make the culture fan tingle with excitement. The Zoo is as famous as the university is old. Basle is a haven of chemical and pharmaceutical technology but also stands out with its unfailing worship of carnival fun and effervescence. The "Morgenstraich" at the crack of dawn is perhaps the most rollicking expression of the good life.

Basle is equally proud of its status as a convention center. The Swiss Industries Fair is held here each year – an impressive display of the country's economic capabilities. Crowds are annually attracted to this exhibition but numerous other trade shows and commercial fairs are extremely popular as well.

En el codo del Rin, donde se encuentran las fronteras de Alemania, Francia y Suiza, está situada Basilea, vinculada mundialmente por el espíritu humanitario, por la ciencia y por el puerto del Rin. La ciudad se encuentra adornada con monumentos históricos como la catedral, el Palacio Comunal, el Spalentor, el Palacio Imperial sobre el Rin. Unas dos docenas de museos invitan al interesado por la cultura. El Jardín Zoológico es muy conocido, la Universidad es muy antigua. En Basilea existe mucha química y no menos salero carnavalesco. El «Morgenstraich» cuenta entre las mas famosas tradiciones de Carnaval.

Basilea no es conocida en última instancia como una ciudad comercial y de ferias. La Feria de Muestras Suiza que se celebra todos los años en primavera – una exposición grandiosa de la poderosa economía del país – atrae a un gran número de visitantes, pero también las demás ferias comerciales y de productos especiales, que son numerosas, despiertan un interés enorme.

ライン川にのぞむバーゼルは、ドイツ、フランス、スイス三国の接点に位置する国境の町。人道主義に育まれた精神と学問、そしてライン川沿いの河港がバーゼルに香り高い国際性をもたらしてきました。大寺院、市庁舎、シュパレン門、ライン川を見下ろすプファルツ……と、バーゼルは歴史愛好家にとっては興味の尽きない町。20余りを数える美術館・博物館も見逃すことはできません。またこの町には古い歴史を誇る大学や有名な動物園もあり、化学産業が栄んなことでも知られています。一方、バーゼル市民のカーニバル好きもよく知られ、有名な「モルゲンシュトライシュ」は、毎年、夜明けと共にくり出す陽気なパレードによって、その火ぶたが切って落とされます。

バーゼルは、また、コンベンション・センターとしてもその名を知られ、なかでも毎年春にこの地で開催される「スイス産業フェア」は、スイス経済の実力を内外に示す重要な行事となっています。この他にも多くの展示会や見本市がここバーゼルで開催され、多くの人を集めます。

Vom Rheinfall zum Säntis

Des chutes du Rhin au Säntis

Dalle cascate del Reno al Säntis

From the Rhine Falls to the Säntis

Del Salto del Rin al Säntis

ラインの滝からセンティス山へ

Rheinaufwärts! Ein Naturschauspiel sondergleichen: der Rheinfall bei Schaffhausen. Es ist der grösste und imposanteste Wassersturz Europas. Die Höhe des Falles beträgt 21 m, die Breite 150 m. Mittlere Wasserführung im Sommer: 700 m³/s.
Von Schaffhausen, einem städtebaulich interessanten Ort aus dem Mittelalter, führt eine Fahrt auf dem Rhein zum Bodensee durch eine der schönsten Stromlandschaften der Alten Welt, vorbei an Stein am Rhein, einem Kleinod schweizerischer Städtchen, vorbei an Klöstern, Kirchen, Schlössern und Burgen.
Zwischen Bodensee und Alpsteinmassiv liegt das kulturelle und wirtschaftliche Zentrum der Nordostschweiz, die Stadt St. Gallen. Ihre Kathedrale wie auch die angegliederte Stiftsbibliothek bieten prachtvollste Barockbaukunst.
Von St. Gallen aus lockt ein Ausflug in das hügelige Appenzellerland mit dem erhabenen Säntis, welchen man von der Schwägalp aus mit einer kühn angelegten Schwebebahn mühelos erreichen kann.

Remontons le Rhin! On découvre alors un merveilleux spectacle: les chutes du Rhin, près de Schaffhouse. Avec une largeur de 150 m et une hauteur de 21 m, c'est sans conteste la plus imposante des chutes d'eau d'Europe. En été, le débit moyen est de 700 m³/s.
De Schaffhouse, une intéressante cité au cachet moyenâgeux, on remonte vers le lac de Constance, passant devant Stein am Rhein, une bourgade qui est un véritable joyau, puis rencontrant une succession d'églises, couvents, châteaux et autres citadelles. Ce paysage fluvial est certainement l'un des plus beaux d'Europe.
C'est entre le lac de Constance et les contreforts des Alpes qu'on découvre St-Gall, centre économique et culturel de la Suisse orientale. Sa cathédrale, ainsi que la très riche bibliothèque qui lui est rattachée, sont des exemples prestigieux d'architecture baroque.
Lorsqu'on est à St-Gall, il vaut la peine d'entreprendre une excursion à travers les collines appenzelloises, jusqu'à Schwägalp; on embarque alors dans un téléphérique, fruit d'une technique audacieuse, qui permet d'atteindre sans effort le sommet du Säntis.

Risaliamo il Reno! Uno spettacolo naturale senza uguali: le cascate del Reno presso Sciaffusa. È la più grande ed imponente cascata esistente in Europa. La sua altezza ammonta a 21 metri e la larghezza a 150 metri. La portata media di acqua in estate è di 700 metri cubi al secondo.
Partendo da Sciaffusa, attraente cittadina medioevale, e risalendo lungo le ridentissime sponde del Reno, attraversiamo Stein am Rhein, vero gioiello fiabesco del medioevo svizzero, si toccano villaggi con monasteri, chiese, castelli e borghi fortificati, giungendo infine al lago di Costanza.
Tra il lago di Costanza ed il massiccio delle Alpi, giace il centro culturale ed economico della Svizzera del nord-est, la città di San Gallo. La sua Cattedrale con l'annessa biblioteca abbaziale offrono un magnifico spettacolo d'arte barocca.
Da San Gallo si viene attratti a compiere una gita verso la montuosa campagna dell'Appenzello con l'imponente Säntis, che può essere raggiunto senza fatica partendo da Schwägalp con un'ardita teleferica.

Traveling upstream, the sightseer encounters a breathtaking natural phenomenon: the Rhine Falls at Schaffhausen. It is the largest and most colossal waterfall in Europe, measuring 70 ft. in width at the 500 ft. high crest. In the summer, 25,000 cubic feet of water thunder over the edge every second.
Schaffhausen is an architecturally appealing medieval town and an ideal basis for an excursion on the Rhine to the Lake of Constance through one of the most beautiful landscapes in the Old World. The route passes Stein am Rhein, a gem among Swiss towns, amidst convents, chapels, castles, and fortresses.
Between the Lake of Constance and the Alpstein Massif lies the city of St. Gall, the cultural and economic focal point of northeastern Switzerland. Its cathedral and the canonic library are two fine monuments of baroque architecture.
St. Gall is a great place to start a trek into the hilly Appenzell region with its towering Säntis. The popular peak is conveniently accessible by a bold aerial cableway from the Schwägalp.

¡El Rin aguas arriba! Un espectáculo natural sin igual: El Salto del Rin de Schaffhausen. Es la mayor y más importante caída de agua de Europa. La altura del salto es de 21 metros, el ancho de 150 metros. Caudal medio de agua durante el verano: 700 m³/s.
Una excursión sobre el Rin, partiendo de Schaffhausen – una interesante ciudad medieval –, conduce al Bodensee a través de uno de los más bellos paisajes del viejo mundo a lo largo de un río, pasando Stein am Rhein, un tesoro entre las pequeñas ciudades suizas, y también conventos, iglesias, castillos y fortalezas.
Entre el Bodensee y el macizo de los Alpes se encuentra el centro cultural y económico de la Suiza del nordeste, la ciudad de San Gall. Su catedral, y también la biblioteca anexa, ofrecen el más suntuoso arte barroco.
Una vez en San Gall uno se siente atraído hacia el Appenzell cubierto de colinas, con el majestuoso Säntis, al que se puede llegar sin la menor dificultad desde Schwägalp en un funicular aéreo, una osada obra de ingeniería.

ライン川を上流にさかのぼったシャフハウゼンの町はずれ、流れは一気に滝となり、豪壮なスペクタクルを展開します。幅150m、高さ21m。ヨーロッパ随一の規模を誇るこのラインの滝、その水量は実に毎秒700m²（夏期）に及び
中世の雰囲気を色濃く残すシャフハウゼン。そこからボーデン（コンスタンス）湖に至るライン川沿いには、スイスの宝石とうたわれるシュタイン・アム・ラインの町をはじめ、修道院、教会、そして古城や要塞に彩られた中世そのままの世界が今に美しく息づいています。
ボーデン湖の南、アルプスと湖のちょうど中間あたりに、北東スイスの文化と経済の中心、ザンクト・ガレンの町があります。
バロック様式のみごとな教会とその付属図書館があることで知られるこの町は、また、センティス観光の絶好の拠点。シュヴェーグアルプからのロープウェイが、アッペンツェルの丘陵に気高くそびえるセンティス山頂まで、観光客を案内します。

Graubündens Bergwelt

Das Bündnerland, das eine eigene Sprache, das Romanische, besitzt, wird das Land der tausend Täler genannt. Hier entspringen Rhein und Inn. Die Hauptstadt ist Chur. Doch die berühmtesten Kurorte sind St. Moritz, Davos und Arosa, Sommer- und Wintertreffpunkte von Bergfreunden aus aller Herren Ländern.
Zu Recht preisen sich aber auch weniger illustre Gebiete als Ferienparadiese an. Ganz Graubünden ist synonym mit Erholen, Kuren, Wandern, Bergsteigen und Skifahren – kurzum mit Ausspannen. Dass dies so ist, verdankt der Gast nicht allein der herrlichen Bergwelt, der kräftigenden Sonne, dem würzigen Alpenklima und den stabilen Schneeverhältnissen – die Bündner haben sich als Gastgeber viel dazu einfallen lassen.
Auf gut ausgebauten Strassen und Pässen oder mit der über zahlreiche Viadukte und Kehrtunnels führenden Rhätischen Bahn sind die Urlaubsziele bequem und sicher erreichbar. Die vielen Berg- und Luftseilbahnen erschliessen auch dem weniger berggewohnten Gast die schönsten Bergspitzen Graubündens.
Der San Bernardino ist eine der meistbefahrenen internationalen Nord-Süd-Verbindungen. Er führt auf breiten Spuren durch den neuerbauten wintersicheren Strassentunnel über das Misox in das Tessin.

Les Grisons – pays de montagnes

Les Grisons, qui possèdent leur propre langue, le Romanche, sont souvent appelés «le pays aux mille vallées». Le Rhin et l'Inn y prennent leur source. Si Coire est le chef-lieu, les localités les plus connues sont cependant St-Moritz, Davos et Arosa, stations qui accueillent été comme hiver les passionnés de montagne qui arrivent du monde entier.
Il existe cependant de très nombreux autres paradis de vacances qui n'ont pas cette renommée internationale. En fait, c'est tout le canton qui est synonyme de repos, de cures, de promenades, d'alpinisme et de ski – en un mot: de détente. Cela, les touristes ne le doivent pas seulement aux merveilleux panoramas, au soleil fortifiant, au climat vivifiant et aux exceptionnelles conditions d'enneigement; la cordialité et l'hospitalité du Grison y contribuent pour une large part.
Un excellent réseau de routes et de cols ou les innombrables viaducs et tunnels des Chemins de Fer Rhétiques permettent d'atteindre facilement les stations de vacances. De nombreux chemins de fer de montagne et téléphériques déposent au sommet des plus belles cimes du canton même les touristes peu habitués aux ascensions.
Le San Bernardino est l'une des principales liaisons internationales nord-sud. Ses larges courbes et son tunnel routier récemment construit relient en toutes saisons le Misox au Tessin.

Grigioni, mondo della montagna

I Grigioni – che posseggono anche una propria lingua chiamata ladino o «romancio» – sono chiamati anche il paese dalle mille valli. Qui nascono il Reno e l'Inn. La capitale è Coira. Le località di cura più rinomate sono St. Moritz, Davos ed Arosa, luoghi di ritrovo estivi ed invernali per gli amici della montagna provenienti da tutte le nazioni.
Anche località meno illustri si stimano giustamente paradisi di vacanza. Tutto il Grigione è sinonimo di riposo, cure, escursioni, ascensioni in montagna e piste di sci, detto in breve, di riposo e distensione. Per questo stato di cose, l'ospite non deve ringraziare solo il magnifico paesaggio montagnoso, il forte sole, il fragrante clima delle Alpi e le ottime condizioni della neve, ma anche i grigionesi che come ospitanti hanno contribuito molto con le loro iniziative.
Su strade ben ampliate e passi, oppure attraverso i molti viadotti e gallerie a spirale delle Ferrovie Retiche, i centri di vacanza sono raggiungibili con comodità e sicurezza. Le numerose ferrovie aprono l'accesso alle più belle cime dei Grigioni anche a coloro che non posseggono abitudini di montagna.
Il San Bernardino è una delle arterie internazionali nord-sud maggiormente frequentate. Con le sue larghe corsie ed attraverso la nuova galleria aperta anche in inverno, attraverso la Mesolcina conduce al Ticino.

The Mountain Realm of the Grisons

The Grisons are characterized by a special tongue – the Romance languages. The area is called the land of a thousand valleys and sires the Rhine and Inn rivers. The capital of this canton is Chur. However, the sports resorts of St. Moritz, Davos, and Arosa are more famous, offering summer and winter fun to hosts of people from every corner of the earth.
Yet even areas with names of lesser resonance offer vacation euphoria in their own right. The Grisons as a whole are synonymous with pleasure, blissful basking, summer ecstasy, exalted skiing in champagne powder – in brief: with gratifying relaxation. The reasons are all attributable to the spectacular Alpine environment, to the invigorating sun, to the refreshing Alpine climate and to a reliable Mother Nature. Of course, the natives of the area also contribute generously by having transformed hospitality into a veritable art.
These holiday destinations are safely and comfortably reached by well developed roads and passes or by the Rhaetian Railways which serpentine a route of many viaducts and loop tunnels.
The numerous mountain railways and aerial cableways bring the most magnificent peaks in the Grisons and their spellbinding panorama views within easy reach of the visitor.
The San Bernardino expressway is one of the major north/south gateways in Europe. Hardly affected by the moods of winter, motorists travel safely through a new tunnel en route to the Tessin.

El mundo montañoso de los Grisones

Los Grisones, cantón en el que se habla el romanche, un idioma propio, son conocidos como la región de los mil valles. Es aquí donde nacen el Rin y el Inn. La capital es Coira. Sin embargo, las estaciones de recreo más conocidas son St. Moritz, Davos y Arosa, puntos de reunión de verano e invierno para los amigos de las montañas, procedentes de todos los países.
Con razón se precian también regiones menos conocidas como paraísos para vacaciones. Todos los Grisones son sinónimo de reposo, cura, paseo, alpinismo y esquí, es decir de descanso. El que esto sea así no proviene solamente del maravilloso mundo de las montañas, del sol fortalecedor, sino de los habitantes de los Grisones que, como buenos anfitriones, han contribuido mucho con sus ideas y su trabajo.
Unas carreteras y puertos en excelentes condiciones, o el tren rético que atraviesa varios viaductos y túneles, permiten llegar cómodamente y con toda seguridad a los lugares de vacaciones. El gran número de trenes de montaña y de teleféricos hace posible que hasta el visitante poco acostumbrado a las montañas pueda llegar a las más bellas cumbres.
El San Bernardino es una de las conexiones internacionales nortesur de más tráfico. Sobre unas pistas anchas, a través del túnel de carretera construido recientemente y que es accesible también durante todo el invierno, esta conexión permite llegar al Tesino a través del Misox.

山深いグリゾン

ロマンシュ語という独自の言語を持つことで知られるグリゾン。ライン川とイン川が共に源を発するこの地方は、千を数える渓谷によって構成された深い谷と山の国。クールがその州都としてこの地方を治めています。サン・モリッツやダヴォス、アローザといった世界に名だたるリゾートがあるのが、ここグリゾン。世界各国から訪れる観光客で、これら有名リゾートは冬はもちろん、夏の間も大変なにぎわいをみせています。
知名度こそこれら有名観光地に譲るものの、そのすばらしさは勝るとも劣らない魅惑のホリデイ・リゾートが、ここグリゾンには数多くあります。休息、療養、そして散策、登山、スキー、これらの代名詞がグリゾン。グリゾンは州全体がくつろぎの気分に満ちています。アルプスの壮大なパノラマ、明るい太陽、さわやかなアルプスの気候、そしてそのすばらしい雪質──これらの恵まれた自然条件に、地元住民の心暖まる歓迎が相まって、一大ホリデイ・パラダイスがこの地に誕生したのです。
ポスト・バスや自動車で山道や峠を越えて、あるいは谷を越え、トンネルを抜けてアルプスの中を走るレイティッシュ鉄道で、今や山深いリゾートも容易に訪れることができます。
また、登山電車やロープウェイを利用すれば、登山経験のない人もアルプスの雄大な眺望を思う存分満喫できます。
ヨーロッパの南北を結ぶ主要幹線網のひとつ「サン・ベルナール線」にも、近年トンネルが完成し、厳冬期にも天候に左右されることなく、ティチーノまで行くことができます。

Malerisches Engadin   Idyllique Engadine   La pittoresca Engadina   Picturesque Engadin   La Engadina pintoresca   牧歌的風情のエンガディン

Nur durch die Pässe Julier, Albula und Flüela mit dem nördlichen Kantonsteil Graubündens verbunden, hat das Engadin seit jeher ein eigenständiges Dasein geführt. Das gesunde Klima und die malerische Schönheit dieses Landstriches wie auch die Weltoffenheit der Bewohner haben schon um die Jahrhundertwende die vornehmsten Gäste ins Engadin gelockt. Aber auch der Durchschnittsbürger ist hier gut aufgehoben. Diese Vielseitigkeit zeigt sich einerseits im fast städtisch anmutenden Zentrum St. Moritz und anderseits in den vielen landschaftlich gänzlich unberührten Seitentälern, insbesondere auch im Schweizerischen Nationalpark, einem Paradies für den Wanderer und Naturfreund.

Von hier aus führt der Ofenpass ins Münstertal, und vom Oberengadin zweigt der Malojapass ins Bergell ab. Auch über den Berninapass gelangt man auf Schiene und Strasse in südliche Gefilde — von den Alpenrosen zu den Kamelien. Hinter der majestätischen Berninakette mit ewigem Schnee liegen das romantische Puschlav und das weingesegnete Veltlin.

Reliée au nord du canton par les seuls cols du Julier, de l'Albula et de la Flüela, l'Engadine a toujours eu une existence autonome. Son climat sain et la beauté de ses paysages, alliés à l'extrême hospitalité de ses habitants, ont séduit et attiré dès le début du siècle le «gratin» des touristes — ce qui ne veut nullement dire qu'on néglige le vacancier «moyen». Cette diversité est illustrée d'une part par St-Moritz, station qui est presque devenue une ville; d'autre part, par les nombreuses vallées latérales qui ont conservé leurs paysages tout de charme — en particulier le parc National Suisse, véritable paradis pour les promeneurs et les amis de la nature.

Le col de l'Ofen permet d'accéder au Münstertal, alors que celui de la Maloja relie la Haute-Engadine au val Bregaglia. Le col routier et ferroviaire de la Bernina ouvre la porte du Sud: on quitte les rhododendrons pour les camélias. Une fois franchie la chaîne majestueuse de la Bernina, on découvre le val Poschiavo, tout de romantisme, et la Valteline, célèbre par ses vins.

Collegata con il nord del Cantone Grigioni solo attraverso i passi dello Julia, dell'Albula e del Flüela, l'Engadina è sempre stata pervasa da tempo immemorabile da uno spirito indipendente. Il sano clima e la bellezza pittorica di questo lembo di terra, inclusa la naturalezza dei suoi abitanti, già dalla fine del secolo scorso hanno attirato in Engadina illustri ospiti. Anche il cittadino medio gode qui di un elevato grado di benessere. Questa molteplicità di aspetti risulta da una parte dal centro di St. Moritz, con la sua finezza cittadina mentre, dall'altra parte, si hanno le molte valli laterali, con il loro paesaggio completamente vergine ed inviolato — in particolare il Parco Nazionale — paradiso degli escursionisti e degli amanti della natura.

Partendo da qui, l'Ofenpass porta nel Münstertal, e dall'alta Engadina il passo del Maloja si biforca verso Bergell. Anche qui, dal passo del Bernina si può raggiungere per ferrovia e per strada, la campagna del sud — dai rododendri alle camelie. Dietro la maestosa catena del Bernina, con le sue nevi eterne, giace il romantico Poschiavo e la Valtellina ricca di vigneti.

The Engadin Valley is linked to the northern part of the Grisons by the Julier, Albula, and Flüela passes. It has always been characterized by a lifestyle of its own. The healthy climate and the picturebook charm of the Engadin — but also the affability of its inhabitants — attracted guests of rank and class as early as the turn of the century. Of course, people of common lineage are just as welcome and just as generously accommodated here. The region exhibits more contrast: while the center of St. Moritz has definitely urban flavor, countless almost virgin valleys branch off from the Engadin which borders on a dream come true for the excursionist and wanderer: the Swiss National Park. From here, the Ofen Pass opens into the Münster Valley and the Maloja Pass winds from the Upper Engadin into the Bergell. The Bernina Pass also provides access by road and rail to southerly realms — sublime transition from rhododendrons to camellias. The romantic Puschlav and the wine-endowed Veltlin are located behind the perpetual snow of the megalithic Bernina Range.

Conectada con la parte norte del cantón de los Grisones solamente a través de los puertos Julier, Albula y Flüela, la Engadina se ha caracterizado siempre por una existencia independiente. El clima sano y la belleza pintoresca de esta región, así como también la sinceridad de sus habitantes, habían atraído ya a la Engadina hacia finales del pasado siglo a los visitantes más distinguidos. Sin embargo, también el ciudadano medio es recibido aquí con todos los honores. Esta multiplicidad se muestra por un lado en el centro de St. Moritz con su aspecto metropolitano y por el otro en el gran número de valles laterales completamente vírgenes con respecto al paisaje, especialmente en el Parque Nacional Suizo, un paraíso para el excursionista y el amante de la naturaleza.

Desde aquí se pasa al Münstertal, a través del Ofenpass, y del Oberengadin el puerto de Maloya se deriva hacia el Bergell. También a través del puerto del Bernina se llega a la campiña del sur, tanto por carretera como por tren, de las rosas de los Alpes a las camelias. Detrás de la majestuosa cadena montañosa del Bernina, cubierta con nieve perpetua, se encuentra la romántica Puschlav y la Valtelina rica en vinos.

ユリア、アルビューラ、フルエラの峠に三方を囲まれて、静かなたたずまいをみせるエンガディン。グリゾン州の北部に位置するこのエンガディンの谷は、昔から独自の生活様式を守り続け、その伝統は今に色濃く受け継がれています。さわやかな気候と絵のように美しいエンガディンの情景は、そこに住む人々のあたたかさと共に、訪れる人の心をとらえ、今世紀初頭から上流階級の人に深く愛されてきました。しかしだからといって、一般の人々にこの地が無縁というわけではありません。都会的センスにあふれるサン・モリッツ、谷あい奥深くにひっそりと横たわるひなびた山村、そして雄大な大自然に抱かれたスイス国立公園。エンガディンの谷は、鮮やかなコントラストを描き出しています。

オフェン峠を越えればミュンスタータール、上部エンガディンからユリア峠を越えればベルゲル。南に通じるベルニナ峠には鉄道も走り、しゃくなげから椿へ、みごとな車窓風景を展開します。ロマンチックなムードを漂わせるポスキアーヴォ、そしてワインで有名なヴェルテリーナが、ベルニナ・アルプスの白い頂の向こう側に、その美しい姿を現わしてきます。

Zauber des Tessins

Das Tessin ist die Sonnenstube der Schweiz, beileibe nicht nur was das Wetter betrifft. Das heitere Wesen der Tessiner erwärmt auch die Seelen kühler nordischer Naturen. Und wer auch nur einige Brocken Italienisch spricht, gewinnt schnell die Freundschaft der Tessiner.

Viel besucht von Touristen ist Lugano, in der Seebucht zwischen dem Monte Brè und dem San Salvatore gelegen; Lugano wird seiner reichen subalpinen bis subtropischen Vegetation wegen eine Gartenstadt genannt, wo selbst die Winter mild sind.

Locarno, am oberen Ende des Lago Maggiore hingebettet, ist zu jeder Jahreszeit von reichem Leben erfüllt. Im Hinterland der Stadt liegen die Täler Verzasca, Maggia, Onsernone, Centovalli; hier findet der Besucher in wildromantischer Landschaft echtes, ursprüngliches Tessin.

Gleichsam in Steinwurfweite von Locarno entfernt liegt Ascona, das sich von einer schlichten Fischersiedlung zum aufregenden Weltdorf entwickelt hat. Und mitten im See der Botanische Garten der Inseln von Brissago!

Tessin, l'enchanteur

Le Tessin est le «réservoir à soleil» de la Suisse. Pas seulement d'un point de vue climatique: par son tempérament chaleureux, le Tessinois arrive à métamorphoser même les Nordiques! Celui qui fait l'effort – même peu concluant – de parler italien gagne immédiatement l'amitié des indigènes.

S'étendant autour d'une baie du lac, entre le Monte Brè et le San Salvatore, Lugano est un des hautslieux du tourisme. C'est la richesse de sa végétation subalpine – voire subtropicale – qui a valu à Lugano son surnom de «ville-jardin»; même les hivers y sont doux.

A l'extrémité supérieure du lac Majeur, Locarno est une ville très animée, en toute saison. L'arrière-pays s'ouvre sur de nombreuses vallées: Verzasca, Maggia, Onsernone, Centovalli. C'est là que le touriste retrouvera les paysages au romantisme un peu sauvage du Tessin véritable.

C'est à proximité de Locarno que se trouve Ascona, un ancien village de pêcheurs qui s'est transformé en une station accueillant des hôtes du monde entier. A quelques kilomètres, au milieu du lac, les îles de Brissago et leur Jardin Botanique!

Magia del Ticino

Il Ticino è il paradiso di sole della Svizzera, e non solo per quanto riguarda il tempo. Il carattere sereno del ticinese riscalda anche le nature più fredde provenienti dal nord. E se uno si esprime anche solo con poche parole d'italiano, guadagna immediatamente l'amicizia dei ticinesi.

Molto visitato dai turisti è Lugano situata tra l'insenatura del lago tra il monte Brè ed il San Salvatore; Lugano viene denominata la «città giardino» a causa della sua ricca vegetazione, perché godendo di un clima invernale molto mite, passa dalla flora subalpina a quella subtropicale.

Locarno, posta nella parte superiore del lago Maggiore è piena di vita in ogni stagione dell'anno. Nel retroterra della città giacciono le valli Verzasca, Maggia, Onsernone, Centovalli: qui, il visitatore, ritrova la pura natura romantica e silvestre del Ticino originario.

A pochi passi da Locarno si trova Ascona, che da villaggio di pescatori si è sviluppata in un centro rinomato. Ed in mezzo al lago il Giardino Botanico delle Isole di Brissago!

Magical Tessin

The Tessin is a luxuriously sunny retreat in Switzerland, but not only with respect to the weather. The sparkling approach of the natives here never fails to set aglow the hearts of even the most temperate sun-seekers from the north. Those who can improvise with a few words of Italian are sure to win friendship in the Tessin hands down.

Lugano is extremely popular with tourists. It lies at the bay between the San Salvatore and Monte Brè. The area's rich subalpine to subtropical vegetation has earned Lugano the name "Garden City". Even the winter loses its harshness here.

Embedded at the upper end of the Lago Maggiore, Locarno bustles with life throughout the year. The Centovalli, Maggia, Onsernone, and Verzasca valleys provide a splendid backdrop with the wild romance of pristine nature.

Ascona is but a stone's throw away from Locarno. Over the years, it evolved from a quaint fishermen's village to an exciting town which appeals to sybarites from all over the world. And the Isles of Brissago are a true experience in luscious botany!

Encanto del Tesino

El Tesino es la región soleada de Suiza, no solamente en lo que se refiere al clima. El temperamento alegre del tesinés es capaz de entusiasmar hasta el alma de los visitantes más fríos del norte. Además, basta con chapurrear algo el italiano para ganarse la amistad del tesinés.

La ciudad que visitan mucho los turistas es Lugano, situada en la bahía del lago entre el Monte Brè y el San Salvatore; debido a su rica vegetación subalpina hasta subtropical, Lugano es conocida como la «ciudad jardín», donde hasta los inviernos son benignos.

Locarno, situado en el extremo superior del lago Maggiore, goza de mucha vida cualquiera que sea la estación del año. Al norte de la ciudad se encuentran los valles de Verzasca, Maggia, Onsernone, Centovalli; aquí, en un paisaje de un romanticismo salvaje, el visitante encuentra el Tesino puro y original. Muy cerca de Locarno, a tiro de pedrada, se encuentra Ascona, que de una sencilla población de pescadores se ha desarrollado hasta convertirse en un excitante pueblo cosmopolita. ¡En medio del lago el Jardín Botánico de la isla de Brissago!

魅惑のティチーノ

ティチーノ地方は、陽光あふれる太陽の国。明るく輝く太陽と、陽気で快活な人々が、遠く北国からやってくる旅人の心をも燃やします。片言のイタリア語でも話せれば、即座に土地の人の仲間入り。ここティチーノには、イタリアの香りが漂っています。

サン・サルヴァトーレとモンテ・ブレの間に横たわるルガノ湖畔の町、ルガノは、この地方の一大観光地。またの名を「ガーデン・シティ」とうたわれるこのルガノの町は、亜熱帯植物が繁る美しいリゾート、冬の気候も温暖です。

マッジョーレ湖北端にあるロカルノは、四季を通じてにぎわうレイクサイド・リゾート。その奥座敷には、自然の美しさをそのまま残すチェントヴァッリ、マッジア、オンセルノーネ、ヴェルザスカの谷が広がり、野趣あふれるティチーノ風景の醍醐味を展開しています。

アスコーナはこのすぐ近く、かつて漁村にすぎなかったこの町も、今では世界各国から訪れる観光客ではなやいだ雰囲気に満ちています。数キロ離れたブリッサーゴ諸島へも、ぜひ足をのばしたいもの。湖に浮ぶこの島々は、みごとな植物園があることで知られています。

Ronco
Nachfolgende Doppelseite:
Blick vom Monte Brè auf Lugano, See und San Salvatore
Quai von Locarno am Lago Maggiore

Ronco
Double page suivante:
Vue depuis le Monte Brè, sur Lugano, le lac et le San Salvatore
Quai de Locarno, au bord du lac Majeur

Ronco
Pagina doppia seguente:
Panoramica dal Monte Brè su Lugano, lago e San Salvatore
Lungolago di Locarno sul lago Maggiore

Ronco
Next double spread:
View from Monte Brè to Lugano, lake, and San Salvatore
Quay of Locarno at the Lago Maggiore

Ronco
Página doble siguiente:
Vista del Monte Brè hacia Lugano, lago y San Salvatore
Quai de Locarno en el lago Maggiore

アルプスののどかな田園詩
見開き頁：
モンテ・ブレ、ルガノ、サン・サルヴァトーレと続くルガノ湖畔の美しい風景
マッジョーレ湖畔の町、ロカルノ

An der Wiege der Eidgenossenschaft

Vom Tessin führt der Gotthard, die historische Passstrasse, nach Norden in die Innerschweiz. Von der Gotthardstrasse zweigen die Furka ins Wallis ab, der Oberalp nach Graubünden und der Susten nach dem Berner Oberland. Die Gotthardbahn durchquert den Berg, der Süden und Norden trennt, in einem Tunnel zwischen Airolo und Göschenen.

Unterwegs auf der Talfahrt erreichen wir Altdorf, die Hauptstadt des Kantons Uri. Hier finden die vielbesuchten Tellspiele in Erinnerung an den Schweizer Nationalhelden statt, dem Friedrich Schiller ein literarisches Denkmal gesetzt hat.

Von der Heimat Tells an den Vierwaldstättersee, zum anmutigen Dorf Flüelen und weiter nach Brunnen, einem bekannten Kur- und Badeort. Unterwegs, auf der Axenstrasse, grüsst vom jenseitigen Ufer die Rütliwiese, wo im Jahre 1291 Männer aus den Waldstätten sich ewigen Beistand im Kampf für die Freiheit des Vaterlandes gelobten. Dramatische geschichtliche Ereignisse spielten sich in einer Landschaft ab, die jeden Besucher aufs tiefste beeindruckt. Eine Fahrt auf dem von hohen Bergen eingerahmten Urnersee zu den historischen Stätten ist ein grosses Erlebnis.

Au berceau de la Confédération

Remontons le Tessin et franchissons le Gotthard pour pénétrer en Suisse centrale. En redescendant du col, on peut bifurquer vers le Valais, par la Furka, vers les Grisons, par l'Oberalp ou vers l'Oberland bernois, par le Susten. La ligne ferroviaire, elle, franchit tout le massif, d'Airolo à Göschenen, dans un tunnel. On arrive bientôt à Altdorf, chef-lieu du canton d'Uri. C'est là que se déroulent traditionnellement les «jeux de Tell», qui attirent toujours un nombreux public: cette œuvre de Schiller commémore les exploits du héros national de la Suisse.

On quitte la patrie de Guillaume Tell en direction du lac des Quatre-Cantons, en traversant l'adorable bourgade de Flüelen, puis Brunnen, une station thermale et balnéaire réputée. On emprunte l'Axenstrasse, d'où on aperçoit, sur l'autre rive, la prairie du Grütli, où des hommes des cantons primitifs, en 1291, se jurèrent assistance mutuelle dans leur lutte pour la liberté de la patrie. Le cadre où se déroulèrent ces dramatiques événements ne manque pas d'impressionner profondément les visiteurs. Il vaut la peine de prendre le bateau pour visiter ces lieux historiques; le trajet sur le lac d'Uri, cerné de hautes montagnes, constitue un souvenir impérissable.

Nella culla della Confederazione

Dal Ticino, attraverso lo storico passo del San Gottardo, la strada conduce al nord, verso la Svizzera interna. Dalla strada del San Gottardo si biforcano le vie del Furka verso il Vallese, l'Oberalp verso i Grigioni ed il Susten verso l'Oberland Bernese. La ferrovia del Gottardo attraversa la montagna con un tunnel tra Airolo e Göschenen che separa il sud dal nord.

Sul percorso, durante il viaggio verso valle, si incontra Altdorf, la capitale del Cantone Uri. Qui si svolgono i frequentatissimi spettacoli in ricordo dell'eroe nazionale Guglielmo Tell, immortalato nell'opera letteraria di Friedrich Schiller.

Dalla patria di Tell al lago dei Quattro Cantoni, verso l'incantevole villaggio di Flüelen ed oltre verso Brunnen, rinomato luogo di cure e bagni termali. Per via, sull'Axenstrasse, sull'altra sponda del lago, vi saluta la Rütliwiese, dove nel 1291 gli uomini delle Waldstätten, lottando per la libertà della patria giurarono di aiutarsi reciprocamente in eterno. In questa terra si svolsero drammatici eventi storici che impressionano profondamente tutti i visitatori. Una gita sull'Urnersee circondato dalle alte montagne fino alle città storiche è un evento indimenticabile.

At the Cradle of the Swiss Confederation

The historic Gotthard Pass wends its way from the Tessin to Central Switzerland. From the Gotthard road, the Furka, Oberalp, and Susten passes continue into the Valais, the Grisons, and the Bernese Oberland, respectively. The Gotthard Railroad frisks through a tunnel between Airolo and Göschenen, carved out of the mountain which separates the North from the South. Descending into the lowlands, we reach Altdorf, the capital of the canton of Uri. This is the amphitheater of the famous Tell Play in honor of Switzerland's legendary hero, for whom Friedrich Schiller created a literary monument.

From Tell's home at the Lake of Lucerne, the road unravels towards enchanting Flüelen and to Brunnen, a renowned resort and spa. En route along the Axenstrasse, the traveler can contemplate the Rütliwiese where in 1291, courageous men from the lake area swore eternal alliance in the fight for the freedom of their fatherland. Dramatic cornerstones of history were laid in a landscape which deeply moves the probing visitor. A passage on the Lake of Uri to the historic sites engulfed in grandiose mountains is an unforgettable experience.

En la cuna de la Confederación

Desde el Tesino pasando por el Gotardo, la histórica carretera de paso hacia la Suiza central en el norte. De la carretera del Gotardo se desvía el Furka hacia el Valais, el Oberhalp hacia los Grisones y el Susten hacia el Oberland Bernés. El ferrocarril del Gotardo atraviesa la montaña que separa el norte del sur por el túnel situado entre Airolo y Göschenen.

En el camino de descenso llegamos a Altdorf, la capital del cantón de Uri. Aquí se celebran las muy frecuentadas representaciones de Tell, en recuerdo al héroe nacional suizo a quien Friedrich Schiller dedicó un monumento literario.

De la patria de Tell al lago de los Cuatro Cantones, al encantador pueblo de Flüelen y más adelante Brunnen, famoso centro de vacaciones y balneario. Algunos kilómetros más adelante, sobre la Axenstrasse, se ve en la orilla opuesta la Rütliwiese, lugar donde en el año 1291, los hombres de los Cuatro Cantones, con vista a la lucha por la libertad de la patria. Fueron muy dramáticos los episodios históricos que sucedieron en un paisaje que impresiona profundamente a cada uno de los visitantes. Un viaje a los lugares históricos, bordeando el Urnersee que se encuentra flanqueado por altas montañas, constituye realmente un acontecimiento inolvidable.

スイス連邦発祥の地

ティチーノと中央スイスを結ぶサン・ゴッタルド峠。その峠道は、フルカ峠を越えてヴァレー、オーバーアルプ峠を越えてグリゾン、スーステン峠を越えてベルナー・オーバーランドへと続きます。アイローロ〜ゲッシェネン間はトンネルで結ばれ、スイスの南北を分けるこの峠には、冬でも列車が通っています。

峠を下れば、ウーリー州の州都アルトドルフはもう一息。この町では、スイスの国民的英雄ウィルヘルム・テルを記念して、シラーの戯曲『ウィルヘルム・テル』を毎年上演、多くの観客を集めています。

テルの故郷アルトドルフからルツェルン湖沿いに道をとれば、美しいフルエレンの町や鉱泉で知られたブルンネンがアクセン街道に沿って続き、その南約3kmの湖の対岸にはスイス連邦発祥の地、リュトリーヴィーゼを望むことができます。1291年、湖周辺の住民は同盟を結び、そこに祖国の自由を守る戦いが始まったのです。雄大な山々に囲まれた建国の史跡を訪ねる船旅は、生涯忘れることのできない想い出。スイス独立の礎となったリュトリーヴィーゼは、訪れる人の心に深い感動を呼びおこします。

Landschaftlich mannigfache Innerschweiz

Luzern, der Pilatus, Gersau, Vitznau, Weggis, die Rigi, der Bürgenstock, Engelberg und der Titlis – das sind touristische Höhepunkte der Innerschweiz. Zu ihnen gehört auch Einsiedeln, die tausendjährige Benediktinerabtei; die monumentale Klosteranlage wurde im 18. Jahrhundert erbaut. Die Stiftskirche ist der bedeutendste Barockbau der Schweiz.
Dort, wo die Reuss den Vierwaldstättersee verlässt, liegt Luzern, die Hauptstadt des gleichnamigen Kantons. Ihr Wahrzeichen ist die 1333 erbaute, die Reuss in mehrfach gebrochener Linie überquerende hölzerne Kapellbrücke mit ihrem achteckigen Wasserturm. In Luzern, das seiner reizvollen Lage am See und seiner Gastfreundschaft wegen viel besucht ist, finden regelmässig die Internationalen Musikfestwochen statt. Eine Attraktion besonderer Art bildet das Verkehrshaus, wo Fortbewegungs- und Kommunikationsmittel von den Anfängen bis zur Gegenwart zu sehen sind. Landschaftlich beherrscht wird Luzern und das untere Vierwaldstättersee-Gebiet vom Pilatus. Die Aussicht von den zerhackten Felszinnen seines Gipfels auf den Alpenkranz und über die Schweizer Grenze hinaus bis zu den Vogesen und in den Schwarzwald ist überwältigend.

Suisse centrale – une infinie variété de paysages

Lucerne, le Pilate, Gersau, Vitznau, Weggis, le Rigi, le Bürgenstock, Engelberg et le Titlis ... autant de hauts-lieux du tourisme en Suisse centrale. Ajoutons encore Einsiedeln et son abbaye bénédictine millénaire; l'imposant couvent a été construit au XVIIIe siècle. La collégiale est le plus important des bâtiments baroques suisses.
Chef-lieu du canton du même nom, Lucerne est construite à l'endroit où la Reuss quitte le lac des Quatre-Cantons. Son monument le plus caractéristique est le pont couvert, en bois, construit en 1333; il forme une ligne brisée, avec une tour octogonale au milieu, et permet de franchir la Reuss. C'est à son exceptionnelle situation au bord du lac et à sa tradition d'hospitalité que Lucerne doit d'accueillir autant de visiteurs. Chaque année s'y déroulent les Semaines musicales internationales, dont la réputation n'est plus à faire. Autre attraction: la Maison des Transports, où on peut constater l'évolution des moyens de transport et de communication, des débuts jusqu'à aujourd'hui. Le Pilate domine toute la région de Lucerne et la partie inférieure du lac des Quatre-Cantons. Du sommet, on jouit d'une vue merveilleuse sur toute la chaîne des Alpes et même sur les Vosges et la Forêt-Noire.

Lo svariato paesaggio della Svizzera interna

Lucerna, il Pilatus, Gersau, Vitznau, Weggis, il Rigi, il Bürgenstock, Engelberg ed il Titlis, sono i luoghi turistici di maggior rilievo della Svizzera interna. Ad essi appartiene anche Einsiedeln, la millenaria Abbazia Benedettina: il monumentale Monastero fu edificato nel 18° secolo. La Cattedrale è l'edificio barocco più significativo della Svizzera.
Nel punto in cui la Reuss lascia il lago dei Quattro Cantoni giace Lucerna, la capitale dell'omonimo Cantone. Il suo caratteristico distintivo è il «Kapellbrücke» il ponte di legno costruito nel 1333 che attraversa la Reuss e la sua ottagonale Torre dell'acqua «Wasserturm». In Lucerna, dove l'affascinante posizione sul lago e l'ospitalità attraggono molti visitatori, si svolgono ogni anno Festival Musicali internazionali. Una attrazione di particolare tipo è costituita dal Museo svizzero dei Trasporti, ove sono esposti i mezzi di comunicazione e di trasporto dai loro primordi ad oggi. Il panorama di Lucerna e della parte inferiore del lago dei Quattro Cantoni, può essere ammirato dal monte Pilatus. La vista dai frastagliati pinnacoli della sua cima sulla corona delle Alpi ed oltre i confini svizzeri fino al Vogesen ed alla Selva Nera, è uno spettacolo affascinante.

Changeful Central Switzerland

Some of Central Switzerland's touristic highlights are Lucerne, the Pilatus, Gersau, Vitznau, Weggis, the Rigi, the Bürgenstock, Engelberg, and the Titlis. The village of Einsiedeln with its thousand-year-old Benedictine abbey also belongs to the list. The monumental monastery was built in the 18th century and the collegiate church is one of the most impressive baroque structures in Switzerland.
Lucerne is situated at the point where the Reuss River merges with the lake. The city's landmark is the ancient wooden Kapell Bridge with its octagonal water tower. The zigzag structure across the Reuss was erected in 1333. Lucerne's hospitality is proverbial. One attraction is the International Music Festival held annually in the lakeside habitat. Another is the Swiss Transport Museum which displays typical examples from the history of transportation and communications. Exhibits cover the pioneering days and extend to the latest developments of our time. Lucerne with the lower lake basin is dominated by the Pilatus. The view from the jagged teeth of its peak to the Alpine wreath, beyond the border to the Vosges in France and to the Black Forest in Germany, leaves beholders agape.

Suiza central con sus variados paisajes

Lucerna, el Pilato, Gersau, Vitznau, Weggis, Rigi, Bürgenstock, Engelberg y Titlis, he aquí unos cuantos puntos turísticos culminantes de la Suiza central. A ellos pertenece también Einsiedeln con su milenaria abadía de benedictinos; el monumental convento fue construido en el siglo XVIII. La iglesia del convento es la construcción barroca más importante de Suiza.
Lucerna se encuentra en el lugar donde el Reuss sale del lago de los Cuatro Cantones, siendo ella la capital del cantón del mismo nombre. Su monumento característico es el Kapellbrücke, que fue construido en el año 1333, un puente de madera que cruza el Reuss según una línea que cambia varias veces de dirección, con su torre de agua octogonal. En Lucerna, tan visitada por su interesante situación junto al lago y por su hospitalidad, se celebran todos los años las semanas musicales internacionales. Una atracción de un tipo especial es la casa del tráfico, donde se puede ver toda clase de medios de transporte y de comunicaciones, desde el principio hasta la actualidad. Con respecto al paisaje, Lucerna y la región inferior del lago de los Cuatro Cantones se encuentran dominadas por el Pilato. La vista desde la salvaje cúspide a los picos de los Alpes, y más allá de la frontera suiza hasta los Vogesen y la Selva Negra, es fascinante.

中央スイス――変化に富んだその景観

中央スイスの観光ハイライトは、ルツェルンを筆頭に、ピラトゥス、ゲルサウ、フィッツナウ、ヴェッギス、リギ、ブルゲンシュトック、エンゲルベルグ、ティトリス……と枚挙にいとまがありません。1000年の歴史を持つアインズィーデルンの大修道院もぜひ訪れてみたいもの。18世紀に建てられた由緒ある僧院と、スイス・バロックを代表する教会は必見といえましょう。
ロイス川がルツェルン湖に注ぐあたりに発達した美しい町ルツェルンは、ロイス川にかかるカペル橋（1333年完成の屋根つきの木橋）と橋の中央にある八角の水塔であまりにも有名。町の人々の熱い歓迎ぶりも、人のよく知るところです。毎年この地で開催される「ルツェルン音楽祭」は、呼び物のひとつ。交通機関発達の歴史を語る「スイス交通博物館」も見逃すことはできません。
鋭い山容をみせてこの地方に君臨するピラトゥスの岩山は、いわばルツェルンのランドマーク。その山頂からは、中央アルプスを越えて、遠くフランスのヴォージュ、ドイツの「黒い森」が一望の下に見渡せます。

Klosterkirche Einsiedeln mit Sihlsee

Nachfolgende Doppelseite:
Luzern, Kapellbrücke mit Wasserturm und Hofkirche
Pilatus Kulm (3132 m), Hotel Bellevue mit Esel und Ausblick auf Nebelmeer

L'église-couvent d'Einsiedeln, avec le lac de Sihl

Double page suivante:
Lucerne, le pont en bois avec sa tour et la Hofkirche
Sommet du Pilate (3132 m), Hôtel Bellevue et vue sur la mer de brouillard

Chiesa del Monastero di Einsiedeln con Sihlsee

Pagina doppia seguente:
Lucerna, Kapellbrücke con torre dell'acqua e Hofkirche
Pilatus Kulm (3132 m), Hotel Bellevue con asino e panoramica sul mare di nebbia

Monastery church in Einsiedeln with Sihl Lake

Next double spread:
Lucerne, Kapell Bridge with water tower and church
Pilatus Kulm (10,272 ft.), Hotel Bellevue with donkey and view over fog sea

Iglesia del monasterio de Einsiedeln con el lago de Sihl

Página doble siguiente:
Lucerna, Kapellbrücke con torre de agua y Hofkirche
Pilatus Kulm (3132 m), Hotel Bellevue con burro y mar de niebla

アインズィーデルンの僧院・教会とズィール湖

見開き頁：
ルツェルンの大寺院と水塔のあるカペル橋
ピラトゥス・クルム（3,132m）の「ホテル・ベルヴュ」と霧にけぶる山々

Traditionen Traditions Tradizioni Traditions Tradiciones 伝統

Berggebiete haben ihr Eigenleben, sei es im Alltag, in der Gestaltung der Behausung, im Brauchtum. Durch harte Arbeit ringt der Bergler seinem kargen Heimatboden das Lebensnotwendige ab: und dieser Kampf prägt auch sein Wesen. Charakteristisch für viele Berggebiete ist das Holzhaus. Holz ist seit uralten Zeiten ein ideales Baumaterial, das Wärme ausströmt und heimelig macht. Es lässt auch dem Gestaltungswillen des Laienhandwerkers Spielraum. Das kommt im künstlerischen Schmuck alter Bauernhäuser zum Ausdruck, die von Gegend zu Gegend ihre traditionellen Eigenarten besitzen. So unterscheidet sich ein Berner Chalet wesentlich von einem Holzhaus im Toggenburg, der schlichte Walliser Spycher vom behäbigen Emmentaler Bauernhaus. Die vielerorts blumengeschmückten Lauben und Fenster verleihen diesen Holzhäusern etwas Sauberes, Sonntägliches.
Zur Bergwelt gehört auch der Alphornbläser, gehören Jodeln, Fahnenschwingen, Ländlerkapelle, Schwingfest und Älplerchilbi. Und zu den allerschönsten Traditionen darf man die Alpaufzüge zählen: blumengeschmückt und glockenbehängt ziehen die Kuhherden sommers zu den Alpweiden hinauf.

Les régions montagneuses ont un mode de vie qui leur est propre; la conception des demeures, les coutumes, la vie quotidienne en apportent la preuve. C'est par un dur labeur que le montagnard arrache à un sol pauvre son nécessaire vital. Dès lors, comment s'étonner que cette lutte ait formé son caractère? La maison de bois est caractéristique de nombreuses régions de montagne. Depuis des temps immémoriaux, le bois constitue un matériau de construction idéal, gage de chaleur (au propre comme au figuré). Il donne à l'artisan une vaste marge de manœuvre dans la réalisation de ce qu'il a conçu. Ce qui apparaît nettement dans les vieilles fermes artistiquement décorées, dont le style et les caractéristiques varient selon les régions. C'est ainsi qu'un chalet bernois diffère sensiblement d'une maison du Toggenbourg, qu'un mazot valaisan n'a que peu de points communs avec une ferme cossue de l'Emmental. Dans de nombreux endroits, fenêtres et balcons sont décorés de fleurs, ce qui donne à ces maisons de bois un aspect propret et accueillant.
Ce monde de la montagne, c'est aussi le cor des Alpes, le «jodel», le lancer de drapeaux, les orchestres et chorales, la lutte libre et les fêtes sur l'alpe. Sans oublier l'une des plus belles traditions: la montée à l'alpage, lorsque les vaches, le cou orné de guirlandes de fleurs et toutes cloches sonnantes, grimpent vers les pâturages, au début de l'été.

I luoghi di montagna posseggono un loro proprio carattere, sia nella vita quotidiana che nello stile delle abitazioni e negli usi e costumi. Con il suo duro lavoro, il montanaro strappa dal suo avaro terreno il necessario per la vita: e questa lotta plasma la sua personalità. Una caratteristica di molte zone montane è la casa di legno. Già dai tempi primitivi, il legno è il materiale da costruzione ideale, intimo caldo ed accogliente. Esso offre libertà di scelta nella costruzione anche all'artigiano profano. E questo viene evidenziato dalle artistiche decorazioni delle case coloniche che, da regione a regione, posseggono caratteristiche tradizionali diverse. Così, per esempio, uno Chalet bernese è sostanzialmente diverso da una casa di legno del Toggenburg, e la semplice casa vallese differisce dalla corpulenta casa colonica dell'Emmental. Gli archi e le finestre di molte località adornate con fiori donano a queste case qualcosa di pulito, di festivo.
Al mondo della montagna appartengono anche i suonatori di «corno delle Alpi», lo «Jodeln», i lanciatori di bandiere, le bandelle, lo «Schwingfest» e l'«Älplerchilbi». Ed alle tradizioni più belle appartengono la salita estiva ai pascoli montani delle mucche adorne di fiori e con i loro campanacci.

Mountain regions undoubtedly follow special patterns in everyday life, architecture, customs. The highlanders strain to wring the bare essentials out of their lean native soil. This struggle cannot but infiltrate into the souls of these untiring people. The wooden house is characteristic of many an upland area. For untold ages, wood has been an ideal construction material. It radiates warmth and creates an atmosphere of comfort while granting the layman joiner freedom of expression. This reflects in the ornamental art found on old farmhouses, art which varies with local traditions. A chalet in Berne thus differs significantly from a wooden house in the Toggenburg; the unpretentious Valaisan cottage can hardly be compared with the portly Emmental residence. Quite frequently, the windows and galleries of such wooden houses are adorned with flowers, giving them a prim, Sunday appearance.
The Alphorn player, the jodler, the flag thrower, old-fashioned "Ländler" bands, wrestling matches, and the upland kermis are all part of mountain life. One of the most beautiful traditions is no doubt the procession to alpine pastures, the "Alpaufzug". In the summer, the cows are decked with flowers and bells, herds driven uphill to greener meadows.

Las regiones montañosas tienen su propia vida, bien sea durante la vida diaria, en la creación de sus casas, en las costumbres. Con un trabajo duro arranca el habitante de las montañas, del pobre suelo de su región, lo suficiente para vivir, siendo esta lucha la que marca su idiosincrasia. Característica para muchas regiones montañosas es la casa de madera. Desde los tiempos primitivos la madera ha sido un material de construcción ideal. Ella tiene la particularidad de que deja también libertad de movimiento al genio creador del artesano profano. Esto se manifiesta en los artísticos ornamentos de todas las casas de campesinos que conservan en cada región sus peculiaridades. El chalet bernés es totalmente distinto de una casa de madera del Toggenburg, el sencillo «Spycher» del Valais de la cómoda casa de campesinos de Emmental. El follaje y las ventanas adornadas en muchos lugares con profusión de flores, conceden a estas casas de campesinos un aspecto de limpieza, de dominguero.
Al mundo de la montaña pertenece también el que toca el cuerno de los Alpes, el «Jodel», el tremolado de la bandera, la orquesta que toca los «Ländler», la fiesta del gancho largo y el «Älplerchilbi». La subida del ganado a los alpes cuenta entre las tradiciones más bellas: Adornado con flores y con grandes cencerros en el cuello, el hato de vacas sube a los pastos de los Alpes cuando se inicia el verano.

アルプス山麓地方は、家の造りや慣習、その日常生活に、独特のライフスタイルをもっています。
生きる糧をやせた土地に頼らなければならないこの土地の宿命は、人々の心に鋭く反映し、不屈の精神を培ってきました。この地方でみかける伝統的な木造の家。ここでは長い間、建築材料として木が人々に親しまれてきました。木造の家は実際暖かくもあり、木肌のやさしい感触が暖かいムード作りに役立っています。また木を材料にするところから、思う存分細工でき、これが各地の古い農家に豊かなローカル色を生み出しています。ベルン地方とトッゲンブルグでは家の造りはがらりと変わり、ヴァレー地方の素朴なコッテージとエメンタール地方の堂々とした農家のたたずまいとでは、その趣も異なります。窓辺やバルコニーを色とりどりの花で美しく飾られたアルプス地方の家々は、いかにもスイスらしい雰囲気を感じさせます。
アルプス・ホルン、ヨーデル、旗投げ、バンドの奏でる「レンドルレル」の調べ、レスリングの試合、アルプスの祭り――伝統的な山の生活は、ここに鮮やかに生きています。しかし、アルプスの伝統を語るのに「アルプアウフツッグ」を忘れては、片手落ちといえましょう。カウベルを鳴りひびかせながら、花で飾られた牛の群れがアルプスの牧場へと向かうこの行事は、アルプスの夏をのどかに彩る美しい風物詩です。

Reizvolles Berner Oberland

Berge, Gletscher, Flüsse und Seen fügen sich im Berner Oberland zu einer Landschaft von besonderem Reiz. Es waren Männer wie Jean-Jacques Rousseau und Albrecht von Haller, die, ohne Absicht freilich, den Grundstein zur touristischen Erschliessung des Berner Oberlandes legten, indem sie im 18. Jahrhundert die Natur und damit die Bergwelt entdeckten.
Einen bedeutenden Platz nimmt seit jeher Interlaken ein; hier trafen sich die Engländer, die als erste zu Fuss das Jungfraugebiet eroberten. Heute führen Bahnen nach Grindelwald und Wengen und weiter hinauf über die Kleine Scheidegg nach dem Jungfraujoch. Mit der Bahn erreicht man auch Mürren und in kühner Fahrt den Piz Gloria, die weltberühmte Gipfelstation der Schilthornbahn.
Beliebte Ausflugsziele mit prachtvoller Sicht in die imposante Bergwelt sind auch die Schynige Platte mit dem sehenswerten Alpengarten, der Harder Kulm und das Rothorn, auf welches von Brienz aus eine romantische Dampfzahnradbahn führt. Als weitere Perlen des Berner Oberlandes seien das Haslital, das Simmental, das Kandertal mit Adelboden und das Saanenland mit dem mondänen Prominententreff Gstaad genannt.

Les beautés de l'Oberland bernois

Avec leurs montagnes, leurs glaciers, leurs torrents et leurs lacs, les paysages de l'Oberland bernois ne laissent pas indifférent. Ce sont des hommes tels que Jean-Jacques Rousseau et Albrecht von Haller qui, en découvrant au XVIIIe siècle les beautés de la nature — et donc de la montagne — ont établi les bases du développement touristique de l'Oberland bernois.
Interlaken a depuis toujours occupé une place importante; les Anglais, qui furent les premiers à se lancer à l'assaut du massif de la Jungfrau, y avaient établi leur «quartier général». Aujourd'hui, des trains conduisent à Grindelwald et Wengen et poursuivent leur ascension jusqu'au Jungfraujoch, en passant par la Petite-Scheidegg. C'est également par le train qu'on parvient à Mürren; un téléphérique dépose ensuite les touristes au sommet du Schilthorn, célèbre dans le monde entier par son restaurant panoramique tournant.
Il existe de nombreux autres buts d'excursion, d'où on jouit d'une vue merveilleuse sur l'imposante chaîne des Alpes: la Schynige Platte, avec son célèbre jardin alpin, le Harder Kulm et le Rothorn, qu'un romantique chemin de fer à crémaillère, fonctionnant encore à la vapeur, relie à Brienz.
L'Oberland bernois compte encore de nombreuses autres «perles», comme les vallées du Hasli, de la Simme, de la Kander (avec Adelboden), ainsi que le haut-pays de la Sarine, dont la très mondaine station de Gstaad constitue le fleuron.

L'Oberland Bernese e le sue bellezze

Montagne, ghiacciai, fiumi e laghi dell'Oberland Bernese danno origine ad un paesaggio dal fascino particolare. Sono stati uomini come Jean-Jacques Rousseau ed Albrecht von Haller che, inconsapevolmente, posarono la prima pietra dell'apertura al turismo dell'Oberland Bernese, quando nel 18° secolo ne scoprirono le bellezze naturali, cioè il mondo della montagna.
Un posto significativo viene assunto da Interlaken; qui si radunarono gli inglesi che, a piedi, conquistarono per primi la zona della Jungfrau. Oggi esistono ferrovie che conducono a Grindelwald ed a Wengen ed oltre, attraverso la Piccola Scheidegg fino alla Jungfrau. In ferrovia si raggiunge anche Mürren, e in un ardito viaggio il Pizzo Gloria, la stazione di vetta della ferrovia dello Schilthorn, famosa in tutto il mondo.
Apprezzata meta con magnifica vista sullo stupendo mondo della montagna è anche la Schynige Platte con il suo ammirevole giardino alpino, lo Harder Kulm ed il Rothorn, ai quali si arriva da Brienz con una romantica ferrovia a cremagliera con locomotiva a vapore. Altre perle dell'Oberland Bernese sono l'Haslital, il Simmental, il Kandertal con Adelboden ed il Saanenland con il prominente punto di ritrovo mondano di Gstaad.

The Beautiful Bernese Oberland

Mountains, glaciers, rivers, and lakes assembled like pieces of a puzzle form the fascinating Bernese Oberland landscape. Men like Jean-Jacques Rousseau and Albrecht von Haller unintentionally fostered the development of this area for tourism in the 18th century as they rediscovered nature along with the mountains.
Since that time, Interlaken has held a prominent position among Swiss resorts. It served as a base camp for the Englishmen who first conquered the Jungfrau area. Today, Grindelwald and Wengen are accessible by rail and road. Railways continue further up to the Kleine Scheidegg and to the Jungfraujoch. Tracks also unfurl along the valley flank to Mürren, from where the daring Schilthorn cableway pierces the clouds to Piz Gloria, famed among seasoned travelers.
Three all-time favorites when it comes to vantage viewpoints to Alpine grandeur are the Schynige Platte, the Harder Kulm and the Rothorn, which is easily reached from Brienz with an indefatigable steam-operated cog railway.
The Haslital, the Simmental, and the Kandertal with Adelboden, are further jewels of the Bernese Oberland. The list would be unforgivably incomplete without the Saanenland and Gstaad, a stronghold of high living devotedly patronized by prominent guests.

El Oberland Bernés es bello

Montes, glaciares, ríos y lagos, todos ellos se unen de manera armónica en el Oberland Bernés para dar al paisaje un encanto especial. Fueron hombres como J. J. Rousseau y Albrecht von Haller los que, sin ninguna intención, colocaron la primera piedra para el descubrimiento del Oberland Bernés, cuando en el siglo XVIII descubrieron la naturaleza y con ella las altas cumbres.
Desde tiempos inmemoriales es Interlaken la que ocupa una posición notable; fue aquí donde se reunieron los ingleses que conquistaron a pie, los primeros, la región del Jungfrau. Hoy día existen trenes que llegan a Grindelwald y a Wengen, y desde estos lugares hasta el Jungfraujoch, pasando por el Kleine Scheidegg. Con el tren se puede llegar a Mürren, y unos teleféricos permiten el acceso cómodo al Piz Gloria, la estación del Schilthornbahn, famosa en todo el mundo.
También la Schynige Platte con sus notables jardines alpinos, el Harder Kulm y el Rothorn, al que se llega a partir de Brienz en un romántico tren de cremallera accionado por vapor, son unos lugares de excursión muy frecuentados, con espléndidas vistas hacia las majestuosas cumbres.
Otras perlas del Oberland Bernés son el Haslital, el Simmental, el Kandertal con Adelboden y el Saanenland con Gstaad, lugar elegante donde se reúnen los personajes de postín.

ベルナー・オーバーランドの美しい自然

アルプスと氷河、そして渓流と湖水——こうした自然の美しいハーモニーがベルナー・オーバーランドを包んでいます。
この地に観光地としての礎を築いたのは、18世紀にすでにこの地方の自然の美しさを世に知らしめたジャン・ジャック・ルソーやアルブレヒト・フォン・ハラー。以来、インターラーケンは、この地方の観光拠点として常に重要な位置を占め、ユングフラウ山塊を最初に征服したイギリス隊のベースキャンプとしても、その役を立派に果たしました。今日では、グリンデルワルドやヴェンゲンへも鉄道が通じ、インターラーケンを後にした登山電車はその先クライネシャイデックを経由して、さらにユングフラウヨッホへと至っています。また、回転レストラン「ピッツ・グロリア」で有名なシルトホルンへのロープウェイの起点、ミューレンも、鉄道網で結ばれています。
シーニゲ・プラッテ、ハーダー・クルム、ロートホルンから眺めるアルプスの雄大なパノラマも、すばらしいもの。ロートホルンとブリエンツを結ぶアプト式鉄道には、ロマンチックなSL列車が懐かしい蒸気の音を響かせて走っています。
この他にも、ハスリタール、ズィンメンタール、カンデルタールとアデルボーデンなど、ベルナー・オーバーランドは多くのみどころを持っています。なかでも忘れることのできないのがザーネンランドのグシュタード。その名を世界に知られたグシュタードは、この地方を代表する観光地です。

Interlaken mit Jungfrau (4166 m)
Nachfolgende Doppelseite:
Schynige-Platte-Bahn mit Eiger, Mönch und Jungfrau
Chalet-Hotel und Kirche in Gsteig bei Gstaad

Interlaken, vue sur la Jungfrau (4166 m)
Double page suivante:
Chemin de fer montant à la Schynige Platte, vue sur l'Eiger, le Mönch et la Jungfrau
Chalet-hôtel et église à Gsteig, près de Gstaad

Interlaken con Jungfrau (4166 m)
Pagina doppia seguente:
Treno Schynige Platte con Eiger, Mönch e Jungfrau
Hotel Chalet e chiesa in Gsteig presso Gstaad

Interlaken with Jungfrau (13,642 ft.)
Next double spread:
Schynige Platte railway with Eiger, Mönch, and Jungfrau
Chalet-Hotel and church in Gsteig near Gstaad

Interlaken con el Jungfrau (4166 m)
Página doble siguiente:
Tren Schynige Platte con el Eiger, Mönch y Jungfrau
Chalet-Hotel e iglesia en Gsteig cerca de Gstaad

ユングフラウ(4,166m)を望むインターラーケンの町
見開き頁:
シーニゲ・プラッテ鉄道とアイガー、メンヒ、ユングフラウ
グシュタード付近の村、グシュタイグでみかけたシャレー風のホテルと村の教会

Das Wallis – Täler und Höhen

Das Wallis erreicht man von der Berner Seite her durch den Lötschberg oder über die Grimsel, vom Urnerland her über die Furka, aus dem Tessin über den Nufenen. Der Simplon und der Grosse St. Bernhard verbinden das Wallis mit Italien.

Das grossartigste Talsystem der Alpen erstreckt sich vom Rhonegletscher über das deutschsprachige Oberwallis mit Brig und das französischsprachige Unterwallis mit Siders, Sitten und Martigny zum Genfersee.

Hohe Seitentäler führen vom Rhonetal zu den Kurorten Saas Fee, Grächen, Zermatt. Der Wanderfreudige besucht das Lötschental, der Erholungsuchende das Leukerbad. Dörfer mit wenig verfälschtem Walliser Charakter finden sich im Val d'Hérens und im Val d'Anniviers, wo vor allem Grimentz sein ursprüngliches Dorfbild am besten zu bewahren vermochte.

Die Walliser, ein wetterfester Menschenschlag, haben Altes erhalten, aber auch Neues geschaffen; sie haben Obst- und Weingärten angelegt und einen vorbildlichen Fremdenverkehr aufgebaut. Gastfreundschaft wird auch hier grossgeschrieben. So haben zum touristischen Ruf des Wallis Menschen gleichermassen beigetragen wie die Landschaft, aus der neben dem Matterhorn der Monte Rosa mit der höchsten Erhebung der Schweiz, der 4634 m hohen Dufourspitze, herausragt.

Le Valais – succession de vallées et de sommets

Le Valais est relié au canton de Berne par le tunnel ferroviaire du Lötschberg et le col du Grimsel, au canton d'Uri par la Furka et au Tessin par le Nufenen. Le Simplon et le Grand Saint-Bernard permettent de passer du Valais en Italie.

Epine dorsale du Valais, la vallée du Rhône est certainement l'une des plus grandioses des Alpes. Elle commence au glacier du Rhône, descend tout le Haut-Valais, d'expression alémanique, arose Brigue et pénètre en Romandie à Sierre; elle traverse ensuite le Bas-Valais, avec Sion et Martigny, avant de rejoindre le lac Léman.

Du Rhône, on remonte de profondes vallées latérales pour parvenir aux stations renommées que sont Saas Fee, Zermatt ou Verbier. Les amateurs de promenades seront séduits par le Lötschental, ceux qui recherchent la détente se rendront à Loèche-les-Bains. Ce sont les villages du val d'Hérens et du val d'Anniviers – en particulier Grimentz, qui a conservé tout son cachet – qui ont le mieux su préserver leur caractère typiquement valaisan.

Race fière et robuste, le Valaisan a su maintenir les valeurs traditionnelles, ce qui ne l'a nullement empêché d'innover – en plantant vignes et vergers et en mettant sur pied une infrastructure touristique exemplaire. Dans ce canton aussi, l'hospitalité est un trait de caractère des habitants. Le renom touristique de Valais est dû autant à sa population qu'à ses atouts géographiques – comme le Mont-Rose, dont la Pointe-Dufour, avec ses 4634 m, constitue le point culminant de la Suisse ... et surtout le Cervin!

Il Vallese – valli e monti

Dalla parte bernese si raggiunge il Vallese attraverso il Lötschberg oppure attraverso il Grimsel, passando sopra il Furka dall'Urnerland, e dal Ticino attraverso il Nufenen. Il Sempione ed il Gran San Bernardo collegano il Vallese con l'Italia.

L'imponente sistema delle valli alpine si spinge dal ghiacciaio del Rodano fino al lago di Ginevra attraverso l'Oberwallis, con Briga ed il Vallese inferiore di lingua francese, con Siders, Sitten e Martigny. Elevate valli laterali conducono dalla valle del Rodano verso i luoghi di cura di Saas Fee, Grächen e Zermatt. Chi cammina volentieri visita il Lötschental, chi cerca riposo va a Leukerbad. Paesi con autentico carattere vallesano si trovano nella Valle d'Hérens e nella Valle d'Anniviers, ove soprattutto Grimentz risplende ancora del suo fascino di villaggio originale.

I vallesani, un tipo d'uomo resistente ad ogni intemperia, hanno salvato l'antico, ma hanno anche creato del nuovo: essi hanno piantato frutteti e vigne e sviluppato un'esemplare organizzazione turistica. Essi danno molto valore all'ospitalità. Così, gli uomini ed anche il paesaggio hanno contribuito in modo uguale alla fama turistica del Vallese, nel quale s'innalzano verso il cielo il Cervino ed il Monte Rosa che con il Dufourspitze di 4634 metri è la più alta vetta svizzera.

The Majestic Valais

The thresholds to the Valais are the Lötschberg Tunnel or the Grimsel Pass from the Bernese side, the Furka Pass from Uri and the Nufenen Pass from the Tessin. The Simplon Tunnel and the Great St. Bernard are the passports to Italy. The most magnificent array of valleys in the Alps extends from the Rhone Glacier across the German-speaking Upper Valais with Brig, through the French-speaking Lower Valais with Sierre, Sion, and Martigny to the Lake of Geneva. Deep side valleys carve the way to Saas Fee, Grächen, Zermatt. The Lötschental is an ideal destination for the wayfarer, while the pleasure-seeker will set his bearings on the spa of Leukerbad. Unmarred Valaisan character has been preserved in the Hérens and Anniviers Valleys. Grimentz is one of the villages of greatest authenticity.

The Valaisans are a weathered, sinewy breed who have safeguarded their heritage, yet kept a straightforward attitude towards innovation – new orchards and vineyards flourished and tourism developed from the mainstream of Valaisan philosophy. Here, too, hospitality is a way of life, worthy of the same praise as befits the magnificence of the Matterhorn and Monte Rosa massif with the 15,200 ft. Dufour Peak, the second highest mountain on the European continent.

El Valais – valles y alturas

Desde Berna se llega al Valais atravesando el Lötschberg o por el Grimsel, desde Urnen por el puerto de Furka, desde el Tesino por el puerto de Nufenen. El Simplón y el Gran San Bernardo conectan el Valais con Italia.

El sistema más grandioso de valles de los Alpes se extiende desde el glaciar del Ródano, pasando por el Alto Valais de la Suiza alemana con Brig y el Bajo Valais, de la Suiza francesa con Siders, Sion y Martigny, hasta el lago de Ginebra. Unos valles situados a gran altura conectan el valle del Ródano con los centros turísticos Saas Fee, Grächen y Zermatt. El amante de las excursiones a pie visita el Lötschental y el que busca el reposo Leukerbad. En Val d'Hérens y en Val d'Anniviers se encuentran unos pueblos con el carácter del Valais muy poco falsificado, siendo especialmente Grimentz el que mejor ha podido conservar su carácter original.

Los Valaisanos, una casta que soporta toda clase de inclemencias, han mantenido lo viejo pero también han creado algo nuevo. Ellos han plantado árboles frutales y cepas, han creado un turismo ejemplar. También aquí se concede una gran importancia a la hospitalidad. La fama turística del Valais procede en partes iguales de los hombres y del paisaje, del cual, junto al Cervino, descolla el Monte Rosa con la cumbre más alta de Suiza, la Dufourspitze, que llega hasta 4634 metros.

ヴァレー —— 山と谷が織りなすタピストリー

ベルンからロッチュベルグ・トンネルかグリムゼル峠を、ウーリーからフルカ峠を、あるいはティチーノからヌフェネン峠を越えれば、そこはもうヴァレー。シンプロン峠とグラン・サン・ベルナール峠が、ヴァレーからイタリアに入る通行手形です。

アルプスでも一、二と言われるほどの壮観な景観を呈するローヌ渓谷は、この地方の屋台骨です。ローヌ氷河に源を発するローヌ川は、ドイツ語圏高地ヴァレーを越えてブリーグに至り、そこからさらにフランス語圏低地ヴァレーをシエール、シオン、マルティニと抜けて、レマン湖へと注いでいます。ローヌから、深くくいこんだ谷を南にたどれば、リゾートとしてその名も名高いサースフェ、グレシェン、ツェルマット。ロッチェンタールで散策を楽しむのも、鉱泉で有名なロイケルバードでくつろぐのも、心やすまるヴァレーの休日。エラン渓谷やアニヴィエ渓谷にはヴァレーの香りが豊かに漂い、汚れなきグリゾンの自然がグリマンの村に旅人を招き入れます。

筋骨たくましく、誇り高いヴァレーの人は、伝統を重んじると同時に、進取の精神に富んでいます。ブドウ畑や果樹園、そして観光の発展。「ヴァレー哲学」は、この地に美しい花を咲かせています。人情味あふれる人々と、マッターホルンやモンテ・ローザに代表されるアルプスの高峰。ヴァレーはこの二つの切札で、訪れる人を虜にします。

Obergabelhorn und Wellenkuppe bei Zermatt

Nachfolgende Doppelseite:
Das typische Walliser Dorf Grimentz im Val d'Anniviers
Montana-Dorf mit Blick ins Val d'Anniviers und auf das Weisshorn

L'Obergabelhorn et le Wellenkuppe, près de Zermatt

Double page suivante:
Le village typiquement valaisan de Grimentz, dans le val d'Anniviers
Montana-Village, vue sur le val d'Anniviers et la Dent-Blanche

Obergabelhorn e Wellenkuppe presso Zermatt

Pagina doppia seguente:
Il tipico paese vallesano Grimentz nella valle d'Anniviers
Il paese Montana con vista sulla valle d'Anniviers e sul Weisshorn

Obergabelhorn and summits near Zermatt

Next double spread:
The typical Valaisan village Grimentz in the Anniviers Valley
The village of Montana with a view towards the Anniviers Valley and the Weisshorn

Obergabelhorn y Wellenkuppe cerca de Zermatt

Página doble siguiente:
El pueblo típico del Valais, Grimentz, en Val d'Anniviers
Montana-Dorf con vista al Val d'Anniviers y al Weisshorn

ツェルマット近くから仰ぐオーバーガベルホルンとヴェッレンクッペ

見開き頁:
ヴァレー情緒豊かなアニヴィエ渓谷の村、グリマン
モンタナの村から眺めるアニヴィエ渓谷とヴァイスホルン

Drei von vielen Markenzeichen

Im Bewusstsein einer grossen Weltöffentlichkeit sind mit dem Namen Schweiz manche Begriffe eng verbunden: Neutralität und Prosperität etwa, Humanität und Rotes Kreuz, Uhren und Präzisionsmaschinen.
Und natürlich die Berge. Voran das Matterhorn, der in seiner Erhabenheit und Schönheit einzigartige Bergriese – ein Magnet für den erfahrenen Alpinisten und Bergfreund. An seinem Fuss können Skisportbegeisterte auch im Sommer ihrem Hobby frönen.
Erwähnt werden muss hier auch der Bernhardinerhund. Er ist benannt nach dem Grossen St. Bernhard, einem Pass zwischen dem Wallis und Italien, der bereits zur Römerzeit benützt wurde. Nach der Vertreibung der Sarazenen wurde auf der Passhöhe ein Hospiz gegründet. Der von den Augustinermönchen gezüchtete Bernhardiner, welcher im Laufe der Jahrhunderte unzählige Menschen aus Schneenot und Nebel rettete, hat wesentlich zum Ruhme des Hospizes beigetragen. Das brave Tier ist gewissermassen der schweizerische Nationalhund geworden.
Markenzeichen sind auch die Schweizer Schokolade und der Schweizer Käse, Produkte der leistungsfähigen Nahrungsmittelindustrie und der fruchtbaren Natur, die nicht nur intensiven Ackerbau, sondern auch eine blühende Viehzucht und Milchwirtschaft erlaubt.

Trois caractéristiques de la Suisse – parmi tant d'autres

Dans le monde entier, la Suisse évoque immédiatement un certain nombre de notions: neutralité, prospérité, humanitarisme et Croix-Rouge, montres et machines de précision.
Et bien entendu les montagnes. Dont le Cervin est le plus beau fleuron. Ce géant à la beauté glacée constitue un pôle d'attraction pour les alpinistes chevronnés et les amis de la montagne. A ses pieds, les passionnés de ski peuvent s'adonner même en été à leur sport favori.
Il faut aussi parler du saint-bernard. Cette race de chiens doit son nom au col du Grand Saint-Bernard, voie de passage entre le Valais et l'Italie, que les Romains empruntaient déjà. Lorsque les hordes de Sarrasins furent repoussées, on fonda un hospice sur le col. Les moines augustins s'y livrèrent à l'élevage du saint-bernard. Au cours des siècles, cette race de chiens a sauvé d'innombrables personnes recouvertes par des avalanches ou perdues dans le brouillard. Ce brave animal est devenu en quelque sorte le chien national de la Suisse.
Dernières images caractéristiques de la Suisse: le chocolat et le fromage, produits d'une nature fertile qui autorise non seulement la culture intensive des champs, mais un élevage bovin et une production laitière florissants.

Tre dei molti marchi

Consapevoli di una grande pubblicità mondiale, molte espressioni si collegano al nome della Svizzera: come neutralità e prosperità, umanità e Croce Rossa, orologi e macchine di precisione.
E naturalmente le montagne. Prima fra tutte il Cervino, unico nella sua imponenza e bellezza – calamita dell'alpinista esperto e dell'amico della montagna. Ai suoi piedi, i patiti dello sci possono dedicarsi al loro sport anche in estate.
A questo punto è debito ricordarsi anche del cane del San Bernardo. Ha preso il suo nome dal Gran San Bernardo, un valico tra il Vallese e l'Italia, che veniva varcato già ai tempi dei Romani. Dopo la cacciata dei Saraceni, sulla cima del valico fu fondato un ospizio. Il San Bernardo, allevato dai monaci Agostiniani, che per secoli ha salvato innumerevoli viaggiatori in pericolo nella neve e nella nebbia, ha contribuito molto alla fama dell'Ospizio. Questo famoso animale è divenuto, per così dire, il cane nazionale svizzero.
Anche la nota cioccolata svizzera ed il formaggio sono dei marchi, dei prodotti della fertile natura che permette sia un'agricoltura intensiva, sia una zootecnica ed una industria di latticini prosperose.

A Selection of Swiss Specialties

The world associates the name of Switzerland with a variety of concepts such as with neutrality and affluence, humanity and the Red Cross, watches and precision engineering.
With mountains too, of course. A magnet attracting experienced alpinists and mountaineers, a living testimonial of nobility and gargantuan splendor, the Matterhorn is certainly foremost among people's mental images of this country. Even in the summer, passionate skiers can revel in the excitement of their favorite sport at its base.
Indeed, the St. Bernard dog is also one of the associations. It was named after the Great St. Bernard Pass between the Valais and Italy. The route was already used in the age of the Roman Empire. After the expulsion of the Saracens, the order of the Augustinians established a hospice on the pass height where the friars bred St. Bernard dogs. During the course of the centuries, these woolly creatures saved many a man's life from the hazards and wintertime perils of the rocky terrain. In a way, the brave animal has become the Swiss National Canine.
Swiss chocolate and Swiss cheese are two other major trademarks. They are the products of a benevolent earth which not only yields abundant crops but also supports thriving livestock and dairy farms.

Tres entre muchos signos de marca

En la conciencia de una vasta opinión pública se encuentran estrechamente asociados con el nombre de Suiza la neutralidad y la prosperidad, el humanitarismo y la Cruz Roja, los relojes y las máquinas de precisión.
Como es natural también las montañas. En primer lugar el Cervino, el gigante único en su género por su majestuosidad y belleza, un imán que atrae a los alpinistas experimentados y al aficionado de la montaña. Hasta en el verano pueden los esquiadores dedicarse, a sus pies, al deporte del esquí.
En este lugar es preciso mencionar el perro de San Bernardo. Recibió este nombre del Gran San Bernardo, un puerto entre el Valais e Italia, el cual fue utilizado ya en la época de los romanos. Después de la expulsión de los sarracenos se fundó un hospicio en el alto del puerto. El perro de San Bernardo, criado por los monjes agustinos, que en el curso de los siglos salvó innumerables vidas humanas acosadas por la nieve o la niebla, ha contribuido fuertemente a la fama del hospicio. Este valiente animal se ha convertido, en cierta manera, en el perro nacional suizo.
También son signos de marca los chocolates y el queso suizos, productos de la fecunda naturaleza, que no solamente hace posible una agricultura intensiva sino también unas florecientes cría de ganado e industria lechera.

スイスの顔、あれこれ

スイスといえば誰でもすぐ思い出すのが、中立、繁栄、人道主義、赤十字、時計その他の精密機器。
アルプスの白い峰々は、スイスのシンボルとして、世界中に知れわたっています。万年雪を頂いて気高くそびえるマッターホルンは、世界のアルピニスト憧れの的、山を愛するすべての人に「アルプスの巨人」と親しまれています。麓では、年間を通じてスキーが楽しめ、熱心なスキーヤーの歓声が夏でも絶えることがありません。
セント・バーナード犬も、スイスを代表するひとつの顔。ローマ帝国の昔から利用されてきたヴァレーとイタリアを結ぶ峠道、グラン・サン・ベルナール――英語でグレイト・セント・バーナード――に因んで名付けられたこの犬、サラセン人撃退の後に峠に建てられたアウグスチヌ会の僧院で飼われていたのがそもそもの始まり。以来、何世紀もの間、雪や霧に迷った多くの人の命を助け、今や、スイスの国民犬にまで慕われるようになりました。
スイスのチョコレートとチーズも、この国のトレード・マークとして余り有名。豊かな農産物を生み出す肥沃な大地が、牧畜・酪農の隆盛にも大きな役割を果たしています。

Blühende Alpenrosen mit Matterhorn (4477 m)

Nachfolgende Doppelseite:
Bernhardinerhunde
Käseherstellung in einer Alphütte

Rhododendrons en fleurs et Cervin (4477 m)

Double page suivante:
Chiens saint-bernard
Fabrication de fromage, dans une cabane d'alpage

Rose alpine in fiore sul Cervino (4477 m)

Pagina doppia seguente:
Cani San Bernardo
Produzione di formaggio in una baita alpina

Rhododendrons in bloom and Matterhorn (14,690 ft.)

Next double spread:
St. Bernard dogs
Making cheese in an alpine cabin

Rosas alpinas en flor con el Matterhorn (4477 m)

Página doble siguiente:
Perros de San Bernardo
Elaboración de queso en una cabaña de los Alpes

アルプスを彩るしゃくなげの花とマッターホルンの雄姿（4,477m)

見開き頁：
セント・バーナード犬
アルプスでのチーズ作り

Die Waadtländer Riviera

Dank ihrem milden Klima und der lieblichen Landschaft wird die Gegend des oberen Genfersees auch Waadtländer Riviera genannt. Da sind die herrlichen Rebberge des Lavaux mit ihren historischen Weindörfern, durch die zu wandern ein genussvolles, unvergessliches Erlebnis ist. Vom imposanten Wasserschloss Chillon aus geniesst man einen überwältigenden Blick auf die Savoyer Alpen mit den Dents-du-Midi. Touristisch anziehend sind die Ortschaften Territet, Montreux, Clarens und Vevey.
Montreux vor allem ist auf dem ganzen Erdenrund ein Begriff für gehobene Gastlichkeit. Die Stadt liegt in einer nach Süden offenen Bucht, vom Nordwind geschützt durch die Bergwand der Rochers-de-Naye und des Dent-de-Jaman. Edelkastanien gedeihen hier und Mandeln und Feigen. Und ein Volk lebt am Genfersee, das Arbeitsamkeit und heitere Lebenslust in idealer Weise zu verbinden weiss.

La riviera vaudoise

Si l'on parle de riviera vaudoise pour désigner la partie nord-est du lac Léman, c'est dû au climat doux qui y règne et à la beauté du paysage. Sur les pentes raides du Lavaux poussent de merveilleuses vignes qui entourent de pittoresques villages de vignerons, à travers lesquels il fait bon se promener et s'arrêter dans une «pinte». De l'imposant château de Chillon, on découvre les Alpes de Savoie et les Dents-du-Midi. Quant aux localités telles que Territet, Montreux, Clarens et Vevey, elles ont tout pour séduire le touriste.
Montreux surtout passe dans le monde entier pour être une ville «qui sait recevoir». L'agglomération s'étend autour d'une baie ouverte vers le sud et protégée de la bise (vent du nord) par la muraille que forment les Rochers-de-Naye et la Dent-de-Jaman, ce qui permet même aux figuiers et amandiers de pousser. Sur la riviera vaudoise, les gens savent à merveille mêler le travail et une certaine joie de vivre.

La Riviera Romanda

Grazie al suo dolce clima ed al suo grazioso paesaggio, la regione del lago Lemano superiore viene denominata anche la Riviera Romanda. Qui crescono le meravigliose vigne del Lavaux, con i loro storici paesi vinicoli. È un immenso ed indimenticabile piacere passeggiare attraverso questi paesi. Dall'imponente Castello sull'acqua di Chillon si gode un panorama affascinante sulle Alpi della Savoia con i Dents-du-Midi. Attrazioni turistiche sono i paesi di Territet, Montreux, Clarens e Vevey.
Soprattutto Montreux è conosciuta in tutto il mondo per la sua spiccata ospitalità. La città giace in una baia aperta a sud, protetta dal vento del nord dalle pareti delle montagne di Rochers-de-Naye e di Dent-de-Jaman. Qui maturano castagne, mandorle e fichi. E sul lago Lemano vive un popolo che sa collegare in maniera ideale diligenza e allegra gioia di vivere.

The Vaud Riviera

Due to its mild climate and fetching landscape, the upper Lake of Geneva area is often referred to as the Vaud Riviera. The wanderer feels compelled to amble through the gracious sun-kissed vineyards of Lavaux where vintagers' villages lie strewn as if forgotten by time. From the dignified lakeside Chillon castle, the view towards the Savoy Alps with the Dents-du-Midi is seductive. The towns of Territet, Montreux, Clarens, and Vevey feature definite touristic appeal.
Naturally, Montreux is always named in the context of cordiality. The city is nestled at the end of a bay facing South; the Rochers-de-Naye and the Dent-de-Jaman protect it against the north wind. Sweet chestnuts, almonds and dates grow here. And the people who live in this region have discovered that hard work by no means antagonizes their enjoyment of the pleasures life has in store for them.

La Riviera del país de Vaud

Por su suave clima y encantador paisaje, la región superior del lago de Ginebra es conocida también como la Riviera de Vaud. Allá se encuentran los excelentes viñedos de Lavaux con sus históricos pueblos vinícolas, constituyendo un acontecimiento agradable e inolvidable la excursión a través de ellos. Desde el majestuoso castillo de Chillón, rodeado de agua, se disfruta de una vista, difícil de describir con palabras, de los Alpes de Savoya con los Dents-du-Midi. Las poblaciones de Territet, Montreux, Clarens y Vevey ejercen también una fuerte atracción turística.
Principalmente Montreux representa en todo el mundo una noción de hospitalidad perfeccionada. La ciudad se encuentra en una bahía abierta hacia el sur, protegida contra el viento norte por la pared montañosa de Rochers-de-Naye y de Dent-de-Jaman. Aquí se desarrollan los castaños, los almendros y las higueras. Además, en el lago de Ginebra vive un pueblo que ha llegado a dominar el arte nada fácil de combinar la laboriosidad con la alegría de la vida.

ヴォーのリビエラ

温暖な気候とその美しさから、レマン湖畔北東部は"ヴォーのリビエラ"と呼ばれています。湖を見下ろす険しい斜面にはブドウ畑が広がり、絵のようなラヴォーの村々が湖畔の散策に誘います。静かな湖面に美しい姿を映すション城を訪ねれば、ダン・ド・ミディからサヴォイ・アルプスに連なる山並が遠く続き、テリテ、モントルー、クララン、ヴェヴェイといった魅惑の町が湖畔に沿って続いています。
レマン湖東端のモントルーは、この地方を代表する世界的な有名リゾート。町の背後に控えるロッシェ・ド・ネーやダン・ド・ジャマンに北風をさえぎられ、この町では、いちじくやアーモンド、なつめやしがたわわに実っています。
レマン湖畔を美しく彩る"ヴォーのリビエラ"。ここに住む人々は、勤勉と生活を楽しむ術を知り、大いに人生を謳歌しています。

Die welschen Metropolen Lausanne und Genf

Lausanne, auf drei Hügeln gebaut, ist die lebhafte Hauptstadt des Kantons Waadt. Die Weite des Genfersees beherrschend, überragt von Schloss und Kathedrale, ist Lausanne eine Metropole, in der Wissenschaft und Kunst, Handel und Industrie blühen und welscher Charme lebendig ist. Hier hat das höchste Gericht der Schweiz, das Bundesgericht, seinen Sitz; und hier findet alljährlich im Herbst der Comptoir Suisse, die bedeutendste Handelsmesse der Westschweiz, statt.
Am unteren Ende des Sees liegt Genf, die elegante, dynamische, ja hektische Stadt, deren Esprit das nahe Frankreich ahnen lässt. Traditionell ist Genfs weltoffener und humanitärer Geist. Kein Wunder, dass hier das Rote Kreuz und der Völkerbund beheimatet sind. Heute sind ferner so bedeutende internationale Organisationen wie der CERN und die UNO in der Calvinstadt vertreten. Jedes Jahr zieht der Internationale Automobilsalon die Motorfachwelt in ihren Bann.
Die Schönheit des Sees mit dem 130 m hohen Jet d'eau, die mit Blumen geschmückten Uferpromenaden, der nahe Salève und der aus der Ferne grüssende Mont-Blanc begeistern jeden Besucher – nicht umsonst hat Genf seit jeher Dichter, Schriftsteller und Maler fasziniert. Und vor seinen Toren liegt Cointrin, einer der grossen Flughäfen der Welt.

Lausanne et Genève – les métropoles romandes

Construites sur trois collines, dominant le lac Léman, Lausanne est le chef-lieu du canton de Vaud. La ville est vouée aux sciences et aux arts, ce qui n'empêche pas le commerce et l'industrie d'y être florissants. C'est aussi le siège de la plus haute instance judiciaire du pays, le Tribunal Fédéral. C'est à Lausanne que se déroule, chaque année, le célèbre Comptoir Suisse.
Genève est implantée à l'extrémité aval du lac; c'est une ville élégante, dynamique et internationale par excellence. De tout temps, Genève s'est ouverte sur le monde et a affirmé sa vocation humanitaire – ce qui lui a valu d'accueillir la Croix-Rouge et la Société des Nations. Aujourd'hui, de très nombreuses organisations internationales comme le CERN et l'ONU (avec toutes ses institutions spécialisées) se sont établies dans la cité de Calvin. Chaque année, le Salon de l'Automobile attire un nombreux public et des spécialistes du monde entier.
La beauté du lac, le jet d'eau (130 m), les parcs et promenades fleuries le long des rives, la proximité du Salève et le capuchon neigeux du Mont-Blanc qu'on aperçoit au loin … on comprend que les visiteurs soient enthousiasmés et que la ville ait séduit de nombreux peintres, poètes et écrivains. L'aéroport intercontinental de Cointrin est l'un des instruments nécessaires à la vocation cosmopolite de la ville.

Le metropoli romande Losanna e Ginevra

Losanna, edificata su tre colli, è la vivace capitale del Cantone Vaud. Dominando il vasto lago Lemano, sovrastata dal Castello e dalla Cattedrale, Losanna è la metropoli della scienza e dell'arte, del fiorente commercio e dell'industria, e dove si mantiene vivo lo charme romando. Qui ha sede il Tribunale Federale, la maggiore istanza giudiziaria svizzera. Annualmente, in autunno, qui si svolge il Comptoir Suisse.
All'altro capo del lago sorge Ginevra, l'elegante, dinamica e vivace città, il cui spirito fa sentire la vicina Francia. Ginevra ha una tradizione di città dallo spirito aperto ed umanitario. Perciò non dobbiamo meravigliarci che qui si trovino le sedi della Croce Rossa e la Società delle Nazioni. Oggi, nella città di Calvino, sono rappresentate le organizzazioni internazionali di maggior rilievo quali il CERN e l'UNO. Ogni anno, il Salone Internazionale dell'Automobile attira ed avvince il mondo dei motori.
La bellezza del lago con il suo getto d'acqua alto 130 m, il lungolago pieno di fiori, il vicino Salève e il Monte Bianco che in lontananza porge il suo saluto, affascinano ogni visitatore – non per niente Ginevra ha sempre affascinato poeti, scrittori e pittori. Ed alle sue porte si trova Cointrin, uno dei grandi aeroporti del mondo.

Lausanne and Geneva – French Swiss Urbanity

Perched on three hills, the capital of the canton of Vaud dominates the broad side of Lake of Geneva; Lausanne is a metropolis dedicated to science and art, commerce and industry – all mixed with that special blend of French Swiss charm. The city, apostrophized by the castle and the cathedral, headquarters the Federal Supreme Court. The Comptoir Suisse is a major event each fall.
Geneva is located at the west end of the Lake, an elegant, busy, even feverishly active city which cannot deny its affinity to the esprit of nearby France. Geneva's cosmopolitan and humanitarian outlook is traditional. No wonder that the Red Cross and the League of Nations are deeply rooted here. Today, respected international organizations such as CERN and the UN are represented in Geneva. Each year, the International Automobile Show draws scores of car enthusiasts to the banks of Lake of Geneva.
The beauty of the bay with the spectacular 425 ft. fountain, the lush lakeshore promenade, the nearby Salève, and the distant gigantism of the Mont-Blanc are moving sights. Geneva has fascinated poets, writers, and painters for centuries.

Las metrópolis de la Suiza Francesa, Lausana y Ginebra

Lausana, construida sobre tres colinas, es la capital llena de vida del cantón de Vaud. Dominando la distancia del lago de Ginebra, con altos castillos y catedrales, Lausana es una metrópoli en la que florecen la ciencia y el arte, el comercio y la industria y en la que se observa el encanto de la Suiza francesa. Es aquí donde tiene su sede el Tribunal Supremo de Suiza, el Tribunal Federal, y es también aquí donde se celebra cada otoño el Comptoir Suisse.
En el extremo inferior del lago se encuentra Ginebra, la elegante, dinámica, agitada ciudad, cuyo espíritu deja entrever la vecina Francia. Tradicional en Ginebra es el espíritu humanitario y universal. No es de extrañar que se encuentren naturalizadas aquí la Cruz Roja y la Sociedad de las Naciones. Hoy día se encuentran además representadas en la ciudad de Calvino organizaciones tan importantes como la CERN y la ONU. Todos los años se abre en Ginebra el Salón del Automóvil que atrae a los aficionados de los automóviles.
La belleza del lago con el surtidor de agua de 130 metros de altura, los paseos floridos a la orilla del lago, el vecino Salève y el saludo del Mont-Blanc desde la lejanía, entusiasman a cada visitante. No en vano ha fascinado Ginebra, desde siempre, a los poetas, escritores. Ante sus puertas se encuentra Cointrin, uno de los aeropuertos más importantes del mundo.

ローザンヌとジュネーヴ—— スイス・フランス語圏の中心都市

レマン湖北岸を望む山の斜面に発達したヴォー州の州都、ローザンヌ。スイスの学問・芸術の殿堂として栄えるこの町は、商工業上も重要な位置にあり、スイス・フランス語圏の中心として広く活躍しています。小高い丘の上にそびえるカテドラルと古城に象徴されるローザンヌの町は、スイスの司法を司る連邦裁判所があることでも知られ、毎年秋に開催される見本市「コントワール・スイス」は、この町の主要年間行事となっています。
片やレマン湖西端には、フランスの香り高い国際都市ジュネーヴが、そのエレガントで活気に満ちた街並を見せています。伝統的に国際的、人道主義的色彩が濃く、そうした町の性格は当然ながら町全体に強く反映、今日、ここジュネーヴには、国際赤十字委員会、パレ・デ・ナシオン（元国際連盟本部）、ヨーロッパ共同原子核研究所（CERN）、国連専門機関である国際労働機関（ILO）や世界保健機関（WHO）など、多くの国際機関があります。
碧く美しい水をたたえるレマン湖、130mの高さに噴き上げるロマン湖名物の大噴水、緑美しい湖畔沿いの散歩道、町のすぐ南にそびえるサレーヴ、フランス国境はるか遠くに望むモン・ブランの白い頂…。ジュネーヴは、古来、多くの詩人、作家、画家の心を魅了してきました。

Lausanne, bei Nacht
Nachfolgende Seite:
Genf mit See und Springbrunnen (130 m)

Lausanne, de nuit
Page suivante:
Genève, avec le lac et le jet d'eau (130 m)

Losanna, vista di notte
Pagina seguente:
Ginevra con lago e getto d'acqua della fontana (130 m)

Lausanne, at night
Next page:
Geneva with lake and water fountain (425 ft.)

Lausana, de noche
Página seguiente:
Ginebra con el lago y el surtidor (130 m)

夜のオールド・タウンとカテドラル（ローザンヌ）
次頁：
ジュネーヴの町とレマン湖名物の大噴水